The life with Sketch Journal.

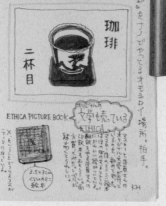
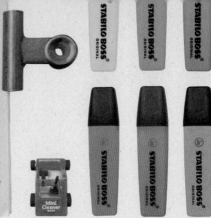

スケッチジャーナルは
人生を記録する「自分日誌」

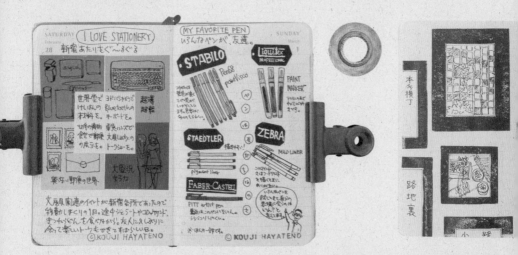

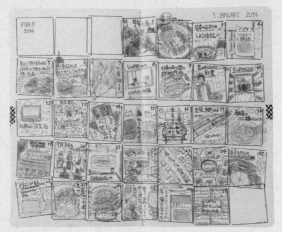

「スケッチジャーナル」とは、手帳やノート等の身近なツールを使って、作者の人生を記録する日誌（journal）のこと。
広く実践されている絵日記や旅日記、趣味ノートにも近いが、記録と振り返りを通じて「自己肯定感を高める」ことを目的とする点で大きく異なる。
僕が20年間の活動を通じて生み出し、提唱している独自の創作スタイルだ。

ポイントは、自分が楽しいと思えることを実践し、その記憶を蓄積すること。
たとえ楽しい気分になれなくても、起きた出来事をなるべくポジティブに解釈してから記録するのが特徴だ。

Please Wait
3 minutes.

BIG
NOODLE

NOODLE

BIG

NOODLE

カップ麺は
絵になる

コロッケが好き

毎日の記録＆振り返りで
自分の「好き」を知る

ス ケッチジャーナルを記録する時に、日常をポジティブに解釈し
ようとすると自分の体験を客観的に捉え直すことができる。
そして、完成した記録を読み返すと、楽しかった出来事や夢中になっ
て没頭した時間、自分の趣味趣向が浮き彫りになる。
これらの記録と振り返りを通じて、自分の「好き」が明確になると同
時に、避けたいこともはっきりするだろう。

スケッチジャーナルを続ける最大のメリットは「どうやったら自分が
ご機嫌になるのか」がわかることだ。

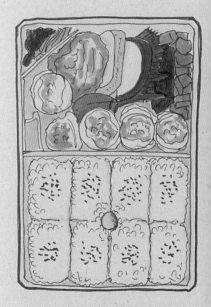

K.H

PEN　STAEDTLER pigment liner 0.2 1.2
COLOR　ZIG CLEAN COLOR Real Brush 24

ハヤテノコウジのグルメスケッチ
一発描き（30分）

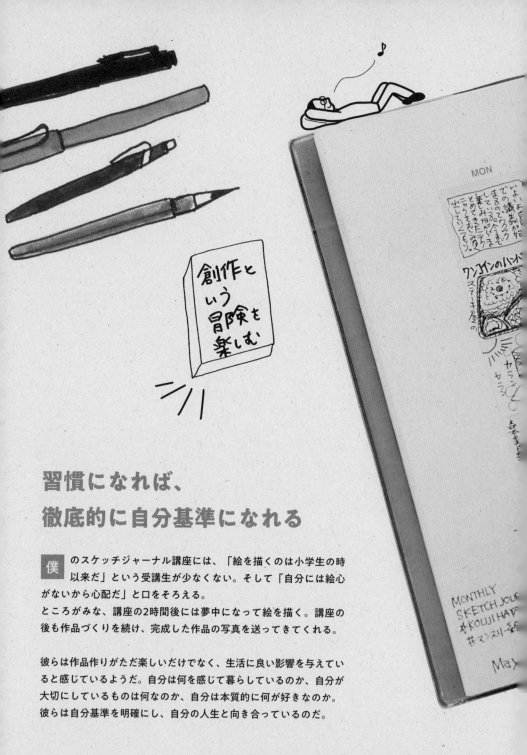

創作という冒険を楽しむ

習慣になれば、
徹底的に自分基準になれる

僕 のスケッチジャーナル講座には、「絵を描くのは小学生の時
以来だ」という受講生が少なくない。そして「自分には絵心
がないから心配だ」と口をそろえる。
ところがみな、講座の2時間後には夢中になって絵を描く。講座の
後も作品づくりを続け、完成した作品の写真を送ってきてくれる。

彼らは作品作りがただ楽しいだけでなく、生活に良い影響を与えてい
ると感じているようだ。自分は何を感じて暮らしているのか、自分が
大切にしているものは何なのか、自分は本質的に何が好きなのか。
彼らは自分基準を明確にし、自分の人生と向き合っているのだ。

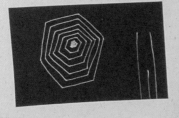

自分日誌は作り手だけでなく
読み手もあなた自身

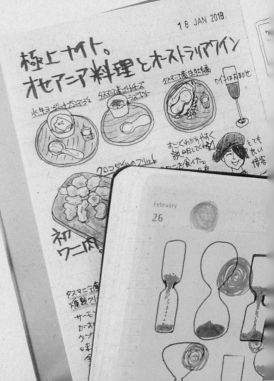

今日もスマートフォンの画面をスクロールして、無意識に他人の投稿を閲覧し、評価ボタンを押す。
そんなあなたは、自分の人生よりも、他人の人生を見ている時間のほうが長いかもしれない。

しかし、スケッチジャーナルはここ数年、SNSを通じて他人の人生に関心を寄せてきたあなたが、今度は自分自身の生き方に目を向けるきっかけになるはずだ。
この自分日誌は、作り手だけでなく、読み手もあなた自身なのだから。

周囲に振り回されず
ニュートラルな心を取り戻す

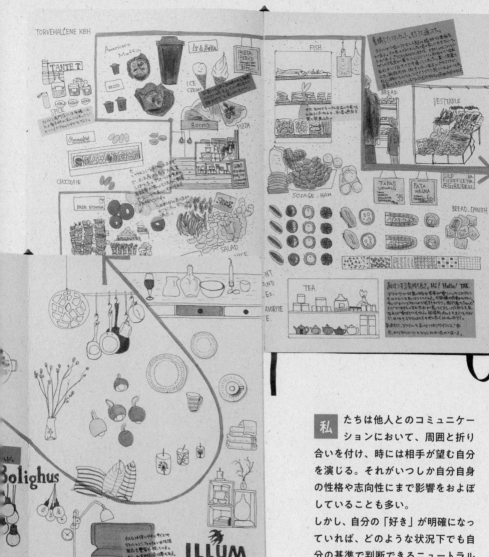

私たちは他人とのコミュニケーションにおいて、周囲と折り合いを付け、時には相手が望む自分を演じる。それがいつしか自分自身の性格や志向性にまで影響をおよぼしていることも多い。

しかし、自分の「好き」が明確になっていれば、どのような状況下でも自分の基準で判断できるニュートラルな心を持ち続けることができる。

たとえ理不尽な環境でも「いろいろあって面白い」「作品のネタとして使える」「ピンチはチャンス」と、ポジティブに思考チェンジできる。他人との違いも楽しめるので、誰かと自分の境遇を比較して気が滅入ることもなくなる。

御根次郎

ハヤテノトーク　静岡

体調よくなる

とろろ　9

パンケーキを待つ

イカージューおにぎりと

みそう 28

week 41

何ものにも囚われない
素のままの自分でいよう

ス ケッチジャーナルを通じて自分を深掘りしながら、同時に自分の可能性を広げることで暮らしにも良い影響をもたらす。
自分の好きなモノやコトでページを埋めたいという意欲が生まれ、それが実際の行動を後押しし、好奇心も広がるだろう。

同じような趣向の人々との出会いも待っている。道具やテーマ、テクニック等、彼らと情報交換できるネタはたっぷり。
そこは人間関係のしがらみや余計なマウントの存在しない、作品が繋げてくれるボーダーレス、ジェンダーレス、そしてエイジレスの世界だ。

INDEX

まずは、準備から ・・・・・・・・・・・・・・・・・・・・

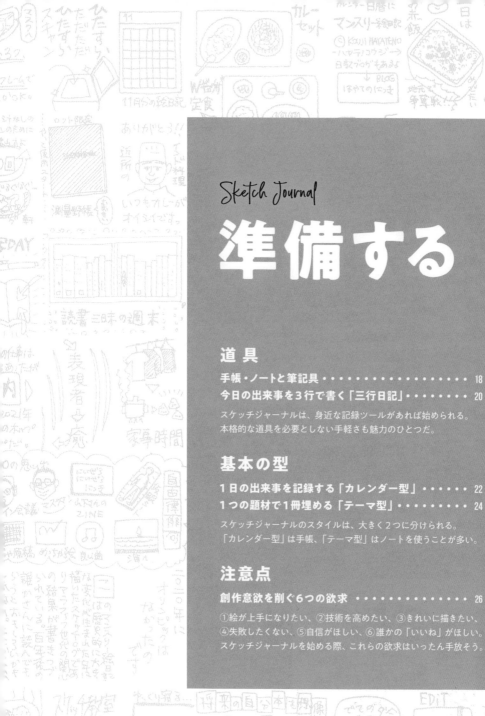

Sketch Journal

準備する

道 具

スケッチジャーナルは、身近な記録ツールがあれば始められる。
本格的な道具を必要としない手軽さも魅力のひとつだ。

基本の型

スケッチジャーナルのスタイルは、大きく2つに分けられる。
「カレンダー型」は手帳、「テーマ型」はノートを使うことが多い。

注意点

①絵が上手になりたい、②技術を高めたい、③きれいに描きたい、
④失敗したくない、⑤自信がほしい、⑥誰かの「いいね」がほしい。
スケッチジャーナルを始める際、これらの欲求はいったん手放そう。

手帳・ノートと
筆記具

　スケッチジャーナルに必要な基本アイテムは、とてもシンプルだ。手帳&ノートと筆記具があれば、誰でもスタートできる。僕の場合はモレスキンのノートから始め、それに合う道具をいろいろ試しながらドローイングペンや色鉛筆、マーカーをそろえた。今は複数の手帳とノートを使い分けながら、道具を増やしている。

　最初に導入したモレスキンは、「ピカソやゴッホ、ヘミングウェイなどの著名人が愛用し、世界中で使われているノートの継承」と謳われ、その存在感に惹かれた。マークスのEDiTシリーズで掲げられている、『人生を「エディット」しよう。』というコンセプトも、スケッチジャーナルにぴったりで気に入っている（edit＝編集する）。また、「旅行」をテーマに商品展開するトラベラーズカンパニーでは、タイで作られた革のノートカバーと豊富なリフィルを中心に、さまざまなパーツを組み合わせることができる。このブランドのラインナップだけで、スケッチジャーナルの道具はすべてそろう。

　文字と絵を使った基本的なスタイルに慣れたら、シールやマスキングテープ、スタンプ等を加えていくといい。リカバリーできる修正テープ、素材を貼るためのテープのり、カッターやハサミもあると便利だ。

手帳やノートの多くは無地の表紙なので、内容に合わせて自分なりにデコレーションしたり、タイトルを書いたりするのも楽しい。そうやって創意工夫すると、毎日の記録がアート作品に成長する。

珈琲ゼリーの日記を描いたのは EDiT シリーズのひとつ「方眼ノート」。赤い手帳はモレスキンの「デイリーダイアリー ポケット」、茶色い革カバーはトラベラーズカンパニーの「トラベラーズノート レギュラーサイズ」だ。ペンはパイロットの「水性ドローイングペン」、ステッドラーの「ピグメントライナー」、ファーバーカステルの「ピットアーティストペン」の3種類をよく使う。

今日の出来事を
3行で書く「三行日記」

　スケッチジャーナルを実践するために、もうひとつ重要なアイテムがある。その日に起きた出来事のうち、できるだけ良い面に着目し、それを短い文章で記録する「三行日記」だ。日付が確認できて、3行程度（100字以内）の日記が書ければフォーマットは何でもいい。僕が使っているのは、マークスの「ウィークリー・レフト」。左側に1週間分の予定管理ができるページがあり、ここに三行日記を書いている。

　まず、その日に起きた出来事を振り返り、それが愉快だったのか不快だったのかを考える。そして不快なことは日記に書かないか、よく考えるとプラスの解釈ができる場合は書く。例えば「上司と議論をして腹が立った」けれど、よく考えると「前向きな営業向上のためのディスカッションだった」のであれば日記に記し、腹が立ったままだと書かない。良い出来事だけでなく嫌な出来事とも向き合って、プラスの転換をして解決してから書くのがポイントだ。

　書く内容は、その日のトピックスを表す見出しと3行程度の日記で、絵は使わない。1行ですべて表せる場合はそれでもいい。要は、後で見返した時に自分が思い出せることが重要だ。忘れてしまわないように、できるだけその日のうちか翌日に書いておくといい。これが、自分の1週間分の人生と心情がだいたいわかる資料となり、スケッチジャーナルの種になる。ここに書いた記録と、撮っておいた写真もあれば、時間ができた時に創作も始めやすい。

　三行日記を書いた後、僕は愉快なことを「もっとやるリスト」へ、不快なことを「もうやらないリスト」へ転記している。リストに書き出す理由は3つ。1つめは忘却の防止で、リスト化しないといつの間にか忘れてしまう。2つめは、気に入ったことはとことん続け、そうでないことはやめるように自己管理するため。3つめは、環境や心境の変化に敏感になるためだ。「もうやらないリスト」に書き出したが、改めて整理すると自分にプラスになると気付き、「もっとやるリスト」に入れ替える場合も多い。

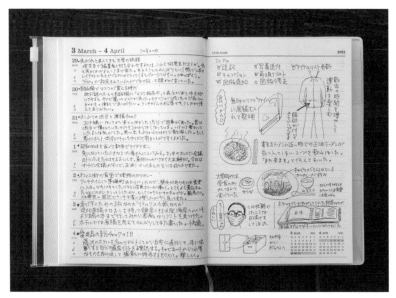

左のウィークリーページに三行日記を書き、右のフリースペースには補足情報やイラストを描いている。誰かに見せるわけでもないから、自分が見返して理解できればいい。

ウィークリー・レフト B6 変型（マークス）

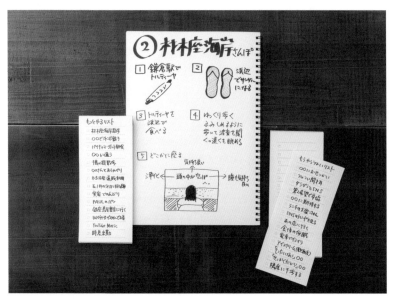

チェックリストに書いた「もっとやるリスト」（左）と、「もうやらないリスト」（右）。「もっとやるリスト」に加えたものは、「自分が上機嫌になるためのルーティーン」として図版化することもある（中央）。

左・右／短冊型メモチェックリスト 40 枚・14 行（無印良品）、中央／図案スケッチブック A4（マルマン）

1日の出来事を記録する「カレンダー型」

　スケッチジャーナルの最も基本的なパターンは、手帳のカレンダーページを使った「マンスリージャーナル」だ。例えば、絵日記風にする場合、その日にあった楽しい出来事を、その日のマスに描く。三行日記（20ページ参照）に書いた内容の中にビジュアル化できる要素があるかを考え、埋めていくのだ。小さいマスに、文字や絵をバランス良く配置して埋めていく作業がパズル感覚で楽しい。1日分のマスに入り切らないモチーフは、前後左右に拡張して描いてもいい。

　テーマを決めたスケッチログとして、1日1絵を描くスタイルも面白い。美味しかった食べ物、手作りお弁当の構成、服装の組み合わせ、買ったもの、子どもやペットの表情等、何か1つのネタに絞って絵を描く。見やすくするために、上下左右に程良い余白を残すのがポイントだ。僕はモレスキンやマークスのEDiT、無印良品のフリースケジュールノートのカレンダーページを使って、絵日記風のマンスリージャーナルを作ってきた。

　マンスリージャーナルではスペースが狭いという人には、「ウィークリージャーナル」がおすすめ。レフト型でもバーティカル型でもいいのでウィークリーページがある手帳を選び、その日の枠にその日あった出来事を描く。例えば、朝昼晩の食事内容をスケッチする、時間軸に沿ってトピックをまとめる等の描き方もできるだろう。右ページがフリースペースになっているフォーマットも多く、そちらに補足情報を記入することができる。

　カレンダー型で最も難易度が高いのが、「デイリージャーナル」だ。1日1ページの手帳を使うスタイルで、スペースが広いためたっぷり描ける反面、ネタを探す努力や描く内容のプランニングが必要となる。その日にあった出来事のスケッチを基本として、ショップカードやチケット、レシート等をあれこれ貼ってしまうのもあり。365日分のページすべてが埋まると、手帳というよりも自分の人生を綴った1冊の本のような存在になるから嬉しい。

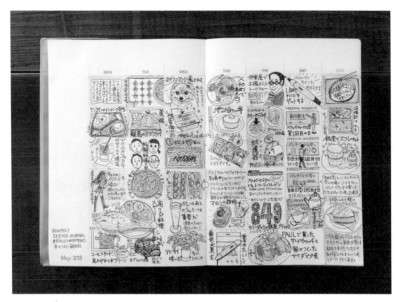

マンスリージャーナル
制作：2018年
道具：上質紙フリースケジュールノート A5・15ヶ月・65週間（無印良品）、ピットアーティストペン（ファーバーカステル）、マルチ8（ぺんてる）

イラストは部分的に、文字だけの日は背景を塗ってメリハリを出している。多機能筆記具「マルチ8」を使用。

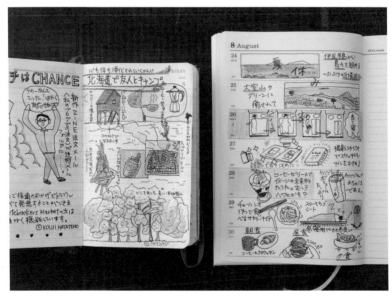

ウィークリージャーナル（右）、デイリージャーナル（左）
制作：右／2020年、左／2015年
道具：右／ウィークリー・レフト B6変型（マークス）、左／デイリーダイアリー ポケット（モレスキン）、共通／ピットアーティストペン（ファーバーカステル）、クーピーペンシル（サクラクレパス）

ウィークリーは横長のレイアウトなので左から右に向かって描き、時間の経過を表現している（右）。1ページという広いスペースを活かし、北海道の大自然を大きく描いて文字は少なめにした（左）。

1つの題材で1冊埋める「テーマ型」

　もうひとつの基本パターンは、何か1つ題材を決め、それについて描く「テーマ型」だ。カレンダー型のように毎日の出来事を描くのではなく、1つのテーマだけで1冊埋めることを目標にする。テーマを決める際も、三行日記（20ページ参照）が役立つ。日記の内容を見返して、描いてみたいモチーフやよく登場する話題をチェックしよう。自分の好きなことや興味のあることにすれば、ネタも豊富で楽しく制作できる。ちなみに僕は365日のデイリージャーナル（22ページ参照）を完成させた後、すべてのページを読み返して、描いたテーマの割合を分析してみたことがある。すると、約半分が美味しい食べ物の記録だったのだ。生きている限り必要となるエネルギー源なのだから、「グルメ」は毎日生まれる描きやすいコンテンツと言えるだろう。

　歩けばネタが集まる「散歩」もおすすめだ。スタートからゴールまで歩く間に、興味を持つネタに必ず出合う。変わった形の植え込み、ゾロ目のナンバープレート、塀の上の盆栽、初デート風のカップル、じっと見つめる黒猫、朽ちた流木、孤独なカモメ、波待ちのサーファー、パン屋の看板、漂着するボート、味のあるタイポグラフィ、駐車場の空の点滅、事件現場のような壁、路地奥の暗闇。描きたいモチーフが、あちらから僕に手を振ってくる感じがする。気になったものがあれば、立ち止まって写真に撮ったりスケッチしたり。散歩だけでも十分楽しめるが、あらかじめスケッチジャーナルを作ることを想定しながら歩くと、取材をしている気分になってさらに面白い。

　他にも、シールやステッカー、ラベル等を集めて貼るだけの「コレクション」、子どもの成長記録をスケッチで残す「子育て」も継続できるテーマだ。グルメあり観光スポットあり出会いあり、そして事件ありの「旅行」を題材にしたスケッチジャーナルは、あらゆるテーマの総集編のような作品に仕上がるだろう。僕の場合、1週間程度の海外旅行をテーマにすると、ミディアムサイズのノートが1冊埋まる（163ページ参照）。それだけ旅行という行為は、スケッチジャーナルにもってこいのネタを数多く生み出してくれる。

グルメジャーナル

制作：2017年

道具：トラベラーズノート リフィル 無罫（トラベラーズカンパニー）、ピットアーティストペン（ファーバーカステル）、スプラカラーソフト（カランダッシュ）

僕が好きな食べ物のモチーフは麺類だ。食べる前に人工的に管理された太さと、調理されてさらに美しくなった麺の曲線をしばらく眺める。写真に撮り、後で自分の手で紙に描き写すことで麺を再生産する感覚が楽しい。

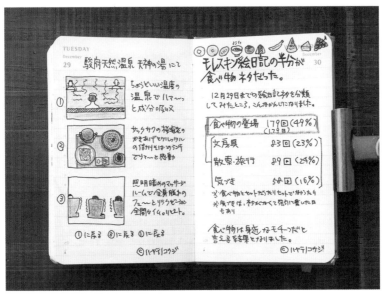

デイリージャーナル

制作：2015年

道具：デイリーダイアリー ポケット（モレスキン）、ピットアーティストペン（ファーバーカステル）、ルナ 水彩色鉛筆（ステッドラー）

初めて1冊、デイリージャーナルが完成した後、365日分のテーマを分類してその割合を分析してみた。結果は約半分が食べ物ネタ。その調査＆結果も記念に、12月30日のページに記録した。

創作意欲を削ぐ
6つの欲求

「これを描きたい」「思い出を残したい」といった創作の初期衝動を忘れず
にいることはモチベーションを継続する上で大切だが、時として創作意欲を
削ぐ欲求と混合してしまう場合がある。スケッチジャーナルを始める時、以下
の欲求はいったん横に置いてほしい。

1. 絵が上手になりたい（過去の評価は今の自分に関係ない）

　僕のスケッチジャーナル講座では、最初こそ「自分には絵心がない」と
言っていた受講生が、2時間後には夢中になって絵を描くようになる。しか
も、その絵はかなり上手だったというシーンに3度ほど遭遇したことがある。

　背景を聞いてみると、子どもの頃に「絵が下手だね」と残念な言葉を掛け
られたり、他人の上手な絵に圧倒されたりした経験から、自分の絵に対して
劣等感を抱いているようだった。他人からの評価や誰かとの比較が、絵を描
く楽しさを封印してしまったのである。スケッチジャーナルの読者は自分なの
だから誰かの目を気にする必要もないし、過去の評価なんて今のあなたに
は関係ない。自分の線で、味のある文字と絵を楽しもう。

2. 技術を高めたい（技法を学ぶのは後回しでいい）

「さあ、絵を描き始めよう」と言っても、絵を描く技術がないとなかなか難
しいだろう。しかし技法を学ぶ前に描いた絵は、なかなか面白い味が出る。

　町の掲示板に貼られている子どもたちのポスターに見入ってしまうのは、
まわりに影響されずオリジナリティが出ているからだ。色の組み合わせが
斬新だったり、独特な構図や表情だったり。子どもたちの目には、大人のよ

うなフィルターがかかっていない。そして、ただ描くことが好きで創作を続けている人たちの作品からも、僕は同じような感覚を覚える。その人たちは時々、技法の本を参考程度に読むだけで、後は下書きもなしにずっと描いている。上手下手は関係なく、興味を持ったモチーフを愛し、純粋に描くことの楽しさを体感しているのだ。あなたもあれこれ難しく考えず、まずはペンを持って赴くまま描いてみてほしい。

3. きれいに描きたい（高級ノートこそ練習に使おう）

「高級ノートを持っているが、きれいに描けないと嫌だから使えていない」という人がいる。しかし、高級ノートこそすぐに使い始めてみてはどうだろうか。使い込むとその良さがわかるし、不思議なもので "ちょっといい文具" は創作のモチベーションも上げてくれる。

「手帳やノートは美しく、きれいに描きたい」と言って慎重になると先に進まず、時間だけが過ぎてしまう。間違えても気にしなくていいし、よほど気になるのであればリカバリーする方法はいくらでもある。目の前の1点を気にするより、1冊全ページがあなたの文字と絵で埋まった時の充実感と満足感を想像してほしい。美しくきれいに描く完璧主義より、1冊続ける完全主義を目指そう。

4. 失敗したくない（失敗作にこそ「自分らしさ」が出る）

失敗するとフラストレーションを感じるだろう。しかし、その時こそ成長のチャンスだ。失敗の原因を考え、目標との差や自分の弱点を調べると、越えるべき壁と解決策が見えてくる。「線がゆがんでしまう」場合は、線をまっすぐに描くトレーニングを行えばいい。「自動車が上手く描けない」のであれば、自動車の構造を調べるとパーツがわかって描きやすくなる。

僕の経験上、失敗して「なんとか修正したい」と悪戦苦闘する時にこそ、自分らしい味わいが出てくる。そうなると、失敗作にも愛着が湧く。今できることを精一杯やった結果なので、それも貴重な記録だと思えてくるのだ。そうやって試行錯誤の末に完成したスケッチジャーナルは、あなたの分身のような存在。良いところも、悪いところも愛すべきあなた自身だ。

5. 自信がほしい（自分の絵が好きじゃなくてもいい）

　僕はよく作品を見返し、「なかなかいいじゃないか」と自画自賛している。しかしそれは自分の絵に満足しているのではなく、作品を通じて自分の記憶に浸っているからだ。「自分の絵が好きじゃないから残したくない」という人もいるが、僕にとって絵は「記録する手段」のひとつでしかなく、そこに好きも嫌いもない。実際、ビジュアルは文字情報よりも数倍、記憶の再現性が高まると言われる。だからこそビジュアルで表現し、いかにその日の記憶をわかりやすく残すかにかかっているのだ。

　もちろん、画力があるのに越したことはないし、納得いかない仕上がりだとフラストレーションになるだろう。しかし、自分の絵に執着すると「良くないところ」が気になって楽しめない。後で見返した時に自分さえわかればいいのだから、創作活動それ自体が絵のトレーニングだと思ってもっと気楽にやってほしい。

6. 誰かの「いいね」がほしい（共感を得られなくたっていい）

　周囲に気を遣って、なるべくまわりに合わせていた以前の僕は、他人の評価が自分の価値そのものであるかのような錯覚に陥り、SNSではいつも他人の反応を気にしていた。そんなふうに誰かの評価を得ることを第一にすると、「他人の目を気にし、共感されやすい絵を描く」ことにも繋がりかねない。もしかしたら、あなたもそうかもしれない。しかし、アナログなツールのスケッチジャーナルでは誰の評価も付かないから安心だ。誰かの意見を気にする必要はなく、他人からの評価も求めなくていい。ただ楽しいから、自分のために、自分の内面から出てくるものを描く。そうやって描き続けている人たちの作品にこそ、僕は魅力を感じる。

Sketch Journal

始める

マンスリーチャレンジ

Sketch Journal ··············→

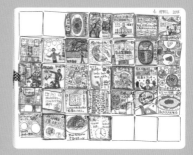

マンスリージャーナル

スケッチジャーナルの最も基本的なパターン、
手帳のカレンダーページを使って制作する「マンスリージャーナル」にチャレンジしよう。
2 ～ 3cm の小さなカレンダーのマスに、1日1ネタ埋めていくスタイルだ。
パズルのように埋まっていく過程を楽しみながら、
1か月分やり切った時の充実感をぜひ味わってほしい。

1日1マスの「マンスリージャーナル」

1. スケッチジャーナルの最小単位「1日1マス」

　スケッチジャーナルの最も基本的なパターン、手帳のカレンダーページを使って制作する「マンスリージャーナル」は、初心者にもおすすめだ。2～3cmの小さなカレンダーのマスに、1日1ネタ埋めていく。その日にあった出来事を描く場合は、三行日記（20ページ参照）からスケッチするネタをピックアップし、スナップショットも参考にしながら描くといい。40ページから提案するトレーニングが終わってなくても大丈夫。むしろ並行し、スケッチジャーナルの練習を兼ねてチャレンジしてほしい。

　僕のスケッチジャーナル講座では、受講生に1か月かけてマンスリージャーナルを作ってもらう。週1で計5日行う講座なので、受講生たちは教室に集まるたび、各自のマンスリージャーナルを見せ合い、自分で発見した描き方のコツや筆記具の情報を交換して大盛り上がりだ。そして、1か月分のマスがすべて埋まった時はみんな感動する。読者のみなさんも、ページが埋まっていく過程を楽しみながら、1か月分やり切った時の満足感と充実感を味わってほしい。

手帳の紙が薄い場合、着色には裏写りの心配がないカラー筆記具がおすすめ。僕は1本の軸に8色のカラー芯が入る、ぺんてるの多機能筆記具「マルチ8」をよく使う。マンスリージャーナルはイラストの密度が高くなるので、色数はある程度抑えて目に優しくしている。

始める
●
実践

マンスリージャーナル
制作：2014年
道具：ヴォランジャーナル ラージ プレーン（モレスキン）、ピグメントライナー（ステッドラー）、フリクションボールスリム 038（パイロット）、クーピーペンシル（サクラクレパス）

無地のノートに自作の型紙を使って正方形の枠を描き、その中に日付を記入してカレンダーを作成。0.38mmの細字ボールペンによる細かい絵にクーピーペンシルで色付けし、カラフルな作品に仕上げた。

2. 現在の自分のスキルでチャレンジする

「マンスリージャーナルを作ろう」と言っても、まだ絵の技術がないし、上手に描けるわけがないと思うかもしれない。しかし、初回のチャレンジは「実験の場」と捉え、自分が今、持っている技術を総動員してやり切ることだけを目指そう。余白の量やバランス、メリハリ等、自分のセンスを駆使してほしい。目標は、カレンダーページの1か月分を埋めること。マンスリージャーナルが面白いのは、進めているうちに「マス目をすべて埋めたい」という心理が働き、ゲームをやっているような感覚になることだ。

マンスリージャーナルは小さいマスに描くので、ぜひドローイングペンで一発描きに挑戦し、そのスリルを味わいながら「一発描きでも案外できる」という成功体験を積んでほしい。「ビギナーズラック」や「テイクワン」なんて

いう言葉があるくらいだから、とにかくやってしまうことは有効だ。下書きなしでどんどん描けるようになると、短時間で完成できる。

　それでもいきなりペンで描くのは不安という人は、「消せるボールペン」を使うと良いだろう。失敗しても消して描き直せる、その気楽さはありがたい。消せるボールペンはパイロット、三菱鉛筆、無印良品等から販売されている。ただし、消せると言っても何度もこすると紙が汚れてしまうので注意したい。「消せるインクだと、色あせして消えてしまうのが怖い」という人もいる。たしかに高温下に置けば消える可能性はあるが、普通に管理していれば大丈夫だ。

　ボールペンは、手帳の紙との相性もチェックしよう。気にならない程度の裏写りは問題ないが、裏にインクが抜けてしまう場合は別の筆記具を選ぶのが無難だろう。

マンスリージャーナル
制作：2016年
道具：12カ月マンスリーダイアリー ラージ（モレスキン）、フリクションボールノック（パイロット）
　消せるボールペンのフリクションボールノックで描いた作品。モレスキンのマンスリーダイアリーは右側にメモ欄があり、そのスペースを活かして週末の記録をより詳細に残すことができる。

3. マンスリータイプの手帳を使う

今、手持ちの手帳のカレンダーページを使っていない場合は、ぜひマンスリージャーナルとして使おう。カレンダーページは既にスケジュール管理に使っている、あるいは手帳そのものを持っていない人は、マンスリータイプの手帳を新たに用意してほしい。最初に選んだ手帳がどうしても自分に合わないと感じたら、迷わずに別の手帳を探そう。合わないものを「もったいないから」「せっかく買ったから」という理由で、無理に使うのは避けたい。

カレンダーページのフォーマットは多くの場合、①日付が印刷されたマス、②何も印刷されていないか、前後の月の日付が印刷されたマス、③余白スペース、という3つの要素で構成されている。基本は①に文字や絵を描くが、②と③も自由に使っていい。

マンスリージャーナル
制作：2021年
道具：上質紙バーチカルスケジュールノート B6（無印良品）※期間限定販売、フリクションボールノック（パイロット）

ウィークリー手帳や1日1ページ手帳でも、カレンダーページが付いているものが多い。僕は①だけでなく、②と③もすべて文字や絵で埋めたいタイプだ。余白スペースは区切り線がないので自由度が高い。

4.フリータイプ（日付なし）の手帳を使う

　手帳の販売シーズン（9〜1月上旬）以外だと、マンスリータイプの手帳が見つからない可能性もある。そこでおすすめなのが、通年で販売され、カレンダーの枠と曜日だけが印刷されたスケジュール帳。日付がないため他のカレンダーを見ながら自分で日付を記入するか、日付は書かないまま使うことになるが、使い方は統一したほうがいい。

　僕が他のスケジュール帳と並行して使っている無印良品の「上質紙フリースケジュールノート」も、日付が印刷されていないタイプだ。その月にあった印象的なトピックスをざっくり振り返る目的で使っているので、日付はあえて記入していない。日付がないのでマスの線も超えて描きやすく、雑多な情報が集まる"記憶のコラージュ"のような作品に仕上がっている。

マンスリージャーナル
制作：2018年
道具：上質紙フリースケジュールノート A5・15ヶ月・65週間（無印良品）、ピットアーティストペン（ファーバーカステル）

無印良品のフリータイプ（日付なし）のノートを使用した例。シンプルなデザインに、ブラックのペン1色で描いているので、すっきりとした作品に仕上がっている。

5. 描く要素・描くタイミング・開始時期を決める

描く要素

　基本の要素は、①タイトル（その日の出来事を端的に表す見出し）、②ビジュアル（出来事に関連する絵）、③キャプション（出来事の説明文）の3つ。いずれか2つでもいいし、ビジュアルだけでもいい。タイトルは目立つように少し大きく、太めに書く。マスが小さいのでビジュアルはなるべくシンプルな描写を心掛けたい。キャプションは、ほんの少しの情報で十分だ。余白が多いと静かで落ち着いた印象になり、たくさんの情報でスペースを埋め尽くすと賑やかになる。

つくり方　枠内

タイトル ── 目立つように
イメージ ── シンプルに
キャプション ── 読める程度に

静 ←→ 動

・ヤミツキになる!
最　高
〇〇のアメリカンドッグ

〇〇カフェ
カフェラテ美味

カフェラテ時間
でのんびり
いつもの〇〇カフェ

小さいマスなので「3つも情報が入ると詰め込み過ぎだ」と感じる人もいるだろう。その場合は要素を1つずつ省いていく。ビギナーはまず3つの情報を入れ、自分の好みを確かめてみよう。

描くタイミング

　「昼休みに休憩場所で」「帰宅途中のカフェで」「寝る前に自分の部屋で」等、描くタイミングは自分の生活スタイルに合わせよう。毎日、描いてもいいし、週末の時間のある時にまとめて作ってもいい。僕は月末に、三行日記（20ページ参照）やスナップショットを見ながら1か月分をまとめて作ることもある。2時間半くらい掛けて、材料をもとに文字や絵を配置する作業は時間が過ぎるのを忘れるくらい集中できる。

開始時期

　月の初日から始め、末日までをチャレンジ期間としたい。後で1か月分全体を振り返る面白さと、充実感を味わってほしいからだ。すぐに始めたい場合はその日から描いてオーケーだが、その月はテスト期間と捉え、翌月の1日から本格的にチャレンジしよう。例えば1月15日からスタートした場合、1月中はテスト期間とし、2月1日から本格始動する。

6. マスが埋まらない時の対処法

　1日過ごした結果、マンスリージャーナルに特筆すべき出来事がなかった（ある意味、平穏な日だった）場合もあるだろう。そんな日は、自分の好きなことで埋めよう。好きな食べ物、お気に入りのグッズ、推しているタレントやミュージシャンの顔、愛するペット等をスケッチする。それでも空欄があれば、自分の関心事まで広げ、気になっているニュースや気付き等を文字や絵で表現する。

　夢や目標、願望といった自分のビジョンを描いてもいい。目標にしている人物の名言、飼ってみたい犬種の絵、観たい映画のタイトルロゴ、いつか住みたい部屋の間取り、行ってみたい浜辺のスケッチ等。こうして余白が埋まると、自分の記憶と好きなこと、思いが詰まった魅力的なスケッチジャーナルが完成する。

　描き方も、無理に1つのマスに収めようとしなくていい。マスを突き抜けて、上下左右の2～3マス分、合わせて描いたっていい。上と左のマスが埋まっていない時や、翌日のネタがないことが想像できる場合に限るが、これなら一気に空欄が埋まる。重要な出来事やインパクトが大きかったシーン、あるいはモチーフが縦長や横長の場合は、マスを複数使ってスペースを広く使おう。とにかく、ページが埋まる楽しさを満喫してほしい。

　後でまとめて描く場合、「その日の内容を忘れてしまった」（三行日記を見返しても思い出せない）ということもたまにある。記憶がなかった時は何を書けばいいのか、事前に考えておくといいだろう。僕の場合、キャラクター化した自分の顔を描いて「すっかり忘れました」「1日中、寝ていました」とつぶやかせたり、一言だけメッセージを書いたりする。ちょっとしたアクセントになって、意外といい感じになる。

始める　実践

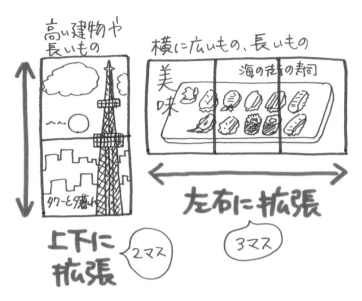

上下や左右に拡張させて描いたイラストは、サイズが大きいので全体の中でもパッと目を引く。特に印象に残ったエピソードを強調して描きたい時にも有効だ。

7. 完成品を見返して、自分の1か月を味わう

　1か月分が完成したら、全体を通してどのようなネタが並んでいるのかを振り返ろう。美味しかった食べ物、笑ってしまう出来事、嬉しいお知らせ、季節の移り変わり、人との出会いや別れ等、きっと、あなたにとって愛おしいトピックスであふれているだろう。マンスリージャーナルを作っていなかったら、一瞬にして過去へと通り過ぎてしまう出来事が、自分が描いた文字と絵によって目の前に存在する。自分の人生の明るい部分をまとめて眺めていると、とても気分が良くなるし、「自分の暮らしもなかなか素敵じゃないか」と肯定できるようになる。

　1か月のチャレンジが終わって、マンスリージャーナルの醍醐味を実感したら、ぜひそのまま続けてほしい。もし1年間継続したら、1年分の振り返りが楽しめる。一つひとつは小さいマスなので最低限の情報しかないが、そのおかげで1年分の人生の箱庭ができあがる。マンスリージャーナルは、自分の頭の中にある記憶と繋がる記号のようなもの。記号を頼りに「そういえば、こんなこともあったな」と思い出す瞬間はとても和む。

スケッチのトレーニング
＆描き出しのコツ

1. 線を描く（描くことに慣れる）

　自分らしい絵を描くための第一歩は、ペンを使って手を動かし、線を描くことからだ。線には直線や曲線、点線などさまざまな種類があり、描くモチーフによって使い分ける。スポーツなら筋トレやジョギングで基礎体力を付けるように、作品を継続的に生み出すには線を描いて、それぞれの線の特徴を理解することが大切だ。気持ち良くペンを動かし、描くことに慣れるための練習でもある。上手く描くための練習ではないのだから、曲がったりゆがんだりしても気にしなくていい。練習用のノートやスケッチブック、紙を用意し、実際にスケッチジャーナルで使いたい筆記具で線を描こう。

　例えば、渦巻き状の「グルグルせん」。中心から周囲へ渦巻きを広げ、ページの端まで無心に描いてみてほしい。きっと、気持ちいいはずだ。紙の上を筆記具が動く音も聞こえるだろう。この音は、ペンと自分の指先をなじませるのに役立つ。

　「ヨコせん」と「タテせん」は、まず水平の線を描くことからスタート。ノートの上端と平行になるように左から右へ、または右から左へと線を進める。線と線の間は等間隔になるよう意識したい。その次に、垂直の線をノートの左端または右端と平行になるように、上から下、上から下と、こちらも線が等間隔になるように描いていく。すると、マス目が並んでいるようになるはずだ。こんなふうにして、ノートの端と平行に描く練習を続けてほしい。

　「ナナメせん」は名前のとおり、ななめに線を引く。これはモノクロで絵を描く時の濃淡の表現にも使える。間隔を狭くして線を引けば、少し離れて見た時に色が濃く、間隔を空けて引くと色が薄く見える。「ナミせん」はその名のとおり波の表現に、「ギザギザせん」はギザギザした対象を描く時、「テンせん」はモチーフのやわらかさや強弱を表す時に有効だ。

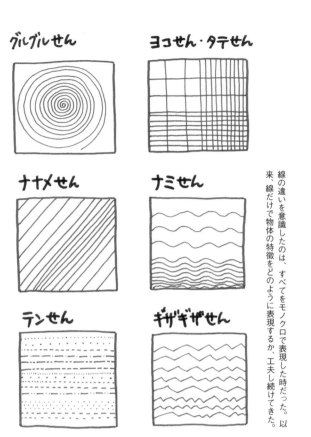

グルグルせん　　　ヨコせん・タテせん

ナナメせん　　　ナミせん

テンせん　　　ギザギザせん

線の違いを意識したのは、すべてをモノクロで表現した時だった。以来、線だけで物体の特徴をどのように表現するか、工夫し続けてきた。

2. 円を描く（筆に迷いがなくなる）

　線の次は、円を描く練習だ。世の中には球体や円で構成されるものが多い。円がスムーズに描けるようになると筆に迷いがなくなってスケッチのスピードが上がり、見た目も良くなる。以下は、立体造形作家の森井ユカさん（213ページ参照）が提案する練習方法だ。

　まず、前項の線のトレーニングで行った「ヨコせん」や「タテせん」の要領で、ノートに横から、縦からと線を引いて方眼を描く。この方眼は5cm角くらいの正方形にしてほしい。そして正方形の中に、正円（縦横の直径が同じ長さ）を描く。正円の中にさらに円を描き、これを入れ子のように繰り返して「もうこれ以上描けない」という段階まで小さな円を描いていく。円と円の

間は等間隔にするのがポイントだ。最初は難しいかもしれないが、集中して
描き続けていると、だんだんと整った円ができあがるだろう。

　僕が森井さんから教わったコツは、「丸いものをじっくり見てから描く」と
いうこと。ペットボトルのフタやマスキングテープ等の身近なものでいい。こ
れで円の形が頭の中に浮かび、描きやすくなる。人によって時計回りで描く
か、反時計回りで描くか、上下左右を半分ずつ描くか等、描きやすい方法
が違うのでいろいろ試して自分流を見つけてほしい。なお、森井流の練習
方法は『描き方BOOK! 読みやすい文字と伝わるイラスト』（森井ユカ著、メ
ディアファクトリー刊）に詳しく書かれている。

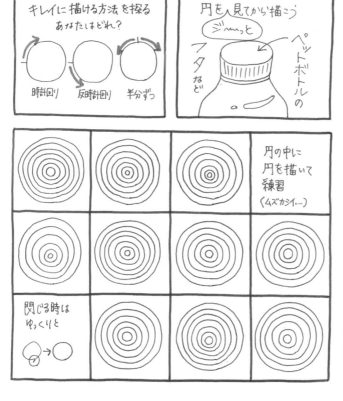

一番外側の〇は、正方形の上下左右の余白を均等に空けて描くときれいな正円になる。円を閉じる時はペンのスピードを落として上手く線を繋げよう。

3. 図形を描く（モチーフの形を研究する）

　絵を描くようになる前は、モノの形について考えたこともなかった。しかしスケッチをするために対象を観察するようになると、世の中のあらゆる存在には、実にいろいろな形があることに気が付く。毎日の生活の中で見たり触れたりする物体は、丸いものと四角いものを中心に、いくつかの図形が組み合わさってできているのだ。この気付きを得てからは、建物や食べ物、植物、生き物等をじっくり見て形を研究するようになった。形を探しながら街歩きをするのも面白い。自然の中を歩くと四角形や円形の物体は少なくなり、人工物にはない形を見つけることができる。

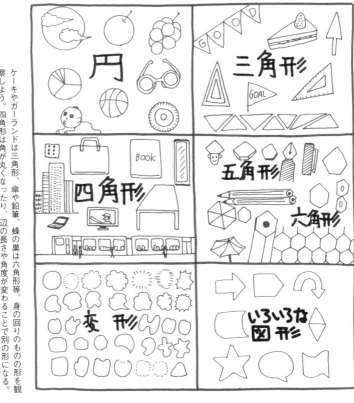

ケーキやガーランドは三角形、傘や鉛筆、蜂の巣は六角形等、身の回りのものの形を観察しよう。四角形は角が丸くなったり、辺の長さや角度が変わることで別の形になる。

4. 立体を描く （幅・高さ・奥行きを把握する）

　形への興味が湧いてきたら、次に立体として捉えてみよう。僕が参加した森井ユカさん(213ページ参照)のスケッチ講座では、粘土で立体物を作り、それをスケッチするという回があった。自分の手で立体物を作ると、面だけではわからなかった幅・高さ・奥行きを実感できる。絵を描く際もこの3つの情報を捉え、影の存在や対象の裏側まで意識することで上達したように感じるはずだ。

　図形と立体の応用編としてスケッチジャーナルで用いたいのが、文字と組み合わせてインパクトを高める手法だ。下の図のように、文字の強調や

絵だけではなく、文字情報もスケッチジャーナルのパーツとしてビジュアル要素になる。いろいろな売り場の手書きポップを見ると、工夫があって参考になる。

デフォルメ、文字を飾ったり変形させたりすることで紙面が賑やかになる。飾った文字は存在感が出るので、僕もタイトルや見出しによく利用する。袋文字を描く方法は、書籍『すばらしき手描きの世界』(チョークボーイ著、主婦の友社刊) に詳しく紹介されているので参考にしてほしい。他にも、図形の中に文字を書く、図形と文字を組み合わせたロゴを作る等、いろいろなアイデアで遊んでみよう。

5. 文字を書く (ガイド&余白で読みやすくする)

スケッチジャーナルの文字情報は基本的に手書きだ。僕は癖が強い文字を書くタイプで、きれいに書いているとはまったく言えない。あくまでもスケッチジャーナルの読者は自分なので、美しいかどうかは気にしていない。それでも、スケッチジャーナルを再読する際に「見やすいかどうか」は頭に入れておきたいところだ。

そこで僕は、書籍や雑誌の紙面デザインを参考にして、①重要なものは大きく太くする、②余白を活用する、③全体のバランスを見ながら文字の大きさを調整するという3点を心掛けている。作品のタイトル、サブタイトル、本文、キャプションをどれくらい目立たせるのかを考え、大きさや太さを使い分けてメリハリをつける。スケッチジャーナルはアナログ作品なので、そんなにきっちりとしなくていいが、特に統一感を出したい時は上記のポイントを押さえたい。

文字をまっすぐ書きたい時は、文字を配置する場所に鉛筆かシャープペンシルで線を引いてガイドを作り、その上にペンで文字を書く。他にも、フレームを描いてその中に収めるよう文字を書いたり、紙に当てた定規に沿って文字を書いたりする方法がある。これらの工夫によって、手作り感たっぷりの紙面でも、文字が読みやすい作品に仕上がる。

僕は最初、道具に頼らず自力ですべて書くことにこだわっていた。しかし、ある伝統工芸の職人さんが道具を活用し、品質にこだわりつつ効率性と再現性の向上に取り組む様子を見て、自分も使えるものはどんどん取り入れようと思い直した。自分の力だけで頑張ろうとはせず、ガイドを上手く使って効率良く書いていこう。

マンスリー絵日記

M T W T F S S

タイトル / 本文 / キャプション / 定規

タイトル タイトル
海のシーン 田舎のシーン
本文 本文

タイトル サブタイトル 本文

のりラーメン えびラーメン
本 文

タイトル サブタイトル
本文 本文 ビジュアル

小さい文字をまっすぐに書く友人から教えてもらった。定規を下にずらしながら、文を書いていく方法。慣れるまではなかなか大変そうだ。でもチャレンジしてみると良いだろう。タイトルとサブタイトル、そして本文をおいていけば、まるで本のようになっていく。

統一感がありながらも単調にならないよう、文字の大小や配置で動きを出す。マンスリージャーナルの小さいマスでも、ページ全体を見た時のバランスは重要だ。

　あるいは、文字が読みやすくなるようにビジュアル要素を減らすのも有効だ。情報をどんどん減らして必要なものだけ配置すると、余白が生まれる。余白があれば文字が読みやすく、その作品から伝えたいメッセージが際立ってくるだろう。「何を描かないか」という検討も面白いので、ぜひトライしてみてほしい。

　もちろん、文字だけではなく絵も同様の効果が得られる。例えば、中央にその日のトピックを置き、後は何も描かない。すると余白には何もないはずなのに、主役を引き立てるものが存在するように思えてくるから不思議だ。トピックが浮いているような、中央に停止しているような感じもする。余白を活かして、目に見えない重力を表現できる楽しさがある。

始める技術

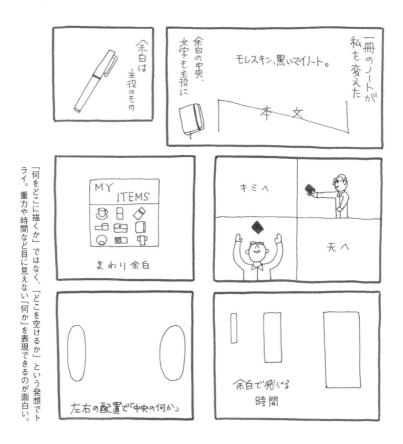

一冊のノートが私も変えた

モレスキン、黒いマイノート。

余白の中央、文字も主役に

余白は主役のもの

本文

キミへ

天へ

MY ITEMS

まわり余白

左右の配置で「中央の何か」

余白で感じる時間

「何をどこに描くか」ではなく、「どこを空けるか」という発想でトライ。重力や時間など目に見えない「何か」を表現できるのが面白い。

6. 描き出す① （どこに配置するかを決める）

　手帳やノートに描き出す際は、「描きたい対象をページのどこに配置するのか」を考える。だいたいの位置を決めたら、モチーフを見て輪郭をチェックし、その線をシャープペンシルや鉛筆を使って描いていく。これは下書きではなくスペースを確保するための作業だから、ディテールまで描写する必要はない。ガイドとして使った輪郭の線は、ペン入れが終わったら消しゴムで消せばいい。

　消せるツールでガイドを描く方法は、ページ全体のバランスを考える時の他にも、人間や物体の配置をだいたい把握したい時、風景の奥行きをなるべく忠実に再現したい時に便利だ。

どこに何を置くかの「あたり」を付ければ、ペンで一発描きする時の緊張感も減る。マンスリージャーナルでは下書きをしなくても、これで十分だ。

7. 描き出す② （どの部分から描くかを決める）

「どこから描き始めればいいのかわからない」という不安を消すために、描き始めの1点をまず決めて、そこからどんどん広げる方法を練習したい。これは、イラストレーターの永沢まことさんの著書『永沢まことのとっておきスケッチ上達術』（草思社発刊）で紹介されていた「一点突破」という考え方だ。慣れていない人でも、最初の1点さえ決まればスケッチが進みやすい。

　描き始めの1点は、自分の描きたいところでオーケー。その位置によってはイメージしていたより狭い範囲しか描けないかもしれない。しかしそれも自分で選んだ切り口であり、1点を選ぶというクリエイティブな作業の結果なの

始める

技術

だからオリジナリティと捉えればいい。一点突破法は部屋で絵を描く時だけでなく、外で風景スケッチを楽しむ時にも活用できる。

　スケッチが完成したら色を塗っていく。色鉛筆で塗る時は、対象を一つひとつ塗って完成させるよりも、同じ色ごとにまとめて塗るほうがスムーズだ。例えば、緑色の色鉛筆を持っている時は遠くのものや近くのもの、自然や人工物など関係なく、緑色の部分をまとめて塗ってしまう。

　マンスリージャーナルで1週間分や1か月分、複数の日付のマスをまとめて埋める時も同様に、同じ色の部分ごとに塗れば色鉛筆を持ち替える手間が減る。着彩の手法については、51ページでも詳しく紹介している。

スケッチ

① 描くモチーフを決める
② 1点から描く
③ ②から拡げていく
④ ページが埋まる

着彩

⑤ 色を塗っていく
同じ色をまとめて塗る
⑥ 場合により水筆で伸ばす

← マルチ8(ぺんてる)で色を付けた

範囲を広げていくにつれ筆も進み、スケッチに夢中になるはず。1点を決める手法は、思い切りのいい創作感覚を身に付ける訓練にもなる。

8. ペン入れする（紙と画風に合うペンを選ぶ）

スケッチジャーナルの文字や線を描く道具として、滑らかな描き心地でペン先のサイズが豊富な「ドローイングペン」を勧めている。僕は複数のメーカーのドローイングペンを使い分けている。ペンのインクと、手帳やノートに使われている紙には相性があるからだ。インクが抜けて裏写りすることがあるが、手帳やノートの紙質が悪いのではなく、インクと紙が合っていないことが原因である場合が多い。油性ペンで描いてもインクが抜けない紙、水彩絵の具を塗ってもふやけない紙、万年筆のインクが乾きやすい紙というように、さまざまな種類がある。

ペン先のサイズも、自分の画風や描くスペースに合わせて選びたい。ペン先は極細から標準サイズ、極太まで10種類以上ある。細いペン先はディティールが描きやすい反面、力を入れると折れてしまうリスクがある。僕のスケッチジャーナル講座では、まず受講生たちにいろいろなサイズのペンで試し書きし、自分のタッチに合うものを選んでもらっている。基本はSサイズ、Mサイズ、Lサイズの3本を持ち、スケッチの線の強弱や文字の太さで使い分けるといい。

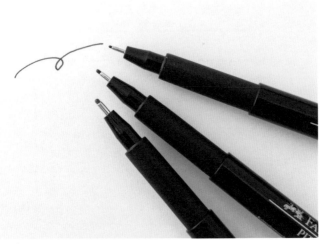

ファーバーカステルの「ピットアーティストペン」は、3種類を使い分けている。カレンダーページの小さいマスに描く時は、細いペン先を選ぼう。広いスペースでは、タイトルやキャプションでペンの太さを使い分けるとメリハリのある紙面になる。

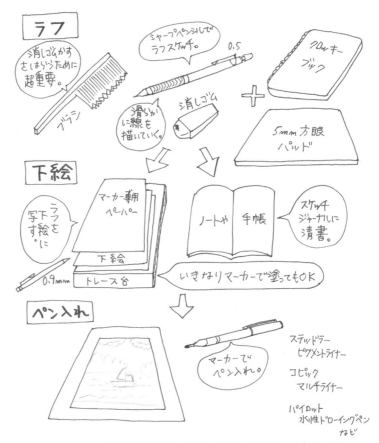

絵画作品を作る場合、①ラフ、②下絵、③ペン入れと進むのが基本。マンスリージャーナルではドローイングペンの一発描きも行うが、細かい描写が必要な作品は、ラフと下絵を描いた上でペン入れしてもオーケー。

9. 着彩する（色鉛筆で表情を出す）

　僕がスケッチジャーナルの着彩で一番使うのは、手に入りやすくカラーも豊富な色鉛筆だ。以前、フィンランド旅行の思い出を残すためにスケッチジャーナルを作ろうとしたが、保有している色鉛筆ではバルト海の青が表現できなかった。そこで、新宿の画材店『世界堂』で自分のイメージに合いそうな青色を何本か購入し、着彩したら納得のいく仕上がりになった。そんなふうに、最初は基本の色が入ったセットを買い、もっと表現したい色が出てきたら画材コーナーに行って1本ずつ増やせばいい。

色鉛筆は大きく分けて、「水性」と「油性」がある。水性は「水彩色鉛筆」と呼ばれ、塗った上から水筆でなぞれば水彩画風の絵になり、塗り方や水との合わせ方によってさまざまな表情を出すことができる。一方の油性は芯がやわらかく、滑らかな描き味が特徴。鮮やかで発色が良いため、僕はスケッチの中に目立たせたい色がある場合に使っている。長年の創作活動の中で買い足してきた色鉛筆たちは、メーカーによって芯の硬さや発色の度合いに違いがあり、使い分けが面白い。色鉛筆もスケッチジャーナルの基本アイテムとして、ぜひ手元に置いてほしい。

色鉛筆の技法（水性用）

点描
水を付けて点を描く

クロスハッチング
線をクロスさせる

ウォッシュ
色を塗って指で伸ばす

ステンシル
型紙をしき上からこする

混色
色を混ぜる（明暗）

水彩
先にインクを付けてそして塗る

油性色鉛筆（外棒はシャープペンシル0.5）

※専用の「ぼかし」のためのペンがある
↓
ぼかし

図の水性用の技法は僕が愛用する色鉛筆、カランダッシュの「スプラカラー」に同封のミニパンフレットで紹介されていたもの。僕は指を使って色を伸ばすテクニックが気に入っている。

10. 資料を集める（スナップショットを撮る）

　スケッチジャーナルを作るようになってから、日常生活で自分の心に響いた情報はあらゆる手段で記録＆保存している。スマートフォンでスナップショットを撮る、メモアプリに記録する、携帯しているメモパッドに書く、アイデア用のノートにスケッチする等。もちろん、これらは創作のための資料だ。「いつか描きたい」と思って記録し、それが実現できた時の満足度は高い。僕は特に、一瞬の光景を残すことができ、かつあらゆる角度から捉えることができるスナップショットを推奨している。慣れてくると、実際に描く時の視点でピンポイントに撮影できるようになる。構図が決まったら、後は描くだけだ。

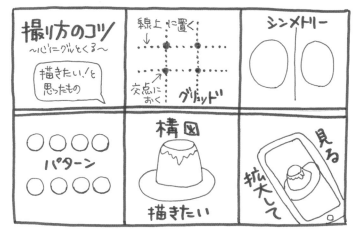

スマートフォンのカメラアプリでは、撮る時に撮影ガイドが表示される。
これを使ってモチーフの位置を決め、後で絵を描くのに最適な構図にする。

　こうして毎日の暮らしの中で資料を集めつつ、後で落ち着いた時にじっくり構成を練りながら描く。画像データがあればズームインしてモチーフの細部を確認したり、使いたいタイミングで組み合わせ、構成を考えたりできるので便利だ。次ページの図も、動物園で可愛い動物たちの写真を撮り、後でお気に入りのショットを並べてスケッチしたものである。資料として撮った写真は印刷し、コラージュ作品用の素材として貼って使ってもいい。

京都の動物園で見掛けた、動物たちの可愛いポーズ。写真
を見ながら、その決定的瞬間を描き写すのがとても楽しい。

11. 変形・省略する（アイコン作りで形を覚える）

　アイコンやスタンプ、ピクトグラムは、伝えたい内容が抽象化されたもの
で、誰が見てもわかりやすい。そんなアイコンを自分でも作ってみて、創作
活動に活かそう。次ページの図は、僕も取材を受けた書籍『手帳で楽しむス
ケッチイラスト』（MdN編集部編、エムディエヌコーポレーション刊）の中で、
イラストレーターのたかしまてつをさんが紹介しているアイコンの作り方を、
僕が実践したものだ。○・□・△からスタートさせ、図を変形したり線を追加
したりしながら、いろいろなアイコンに発展させていく。

　このアイコン制作の過程は、スケッチジャーナルで描きたいモチーフをど
のようにデフォルメするか、あるいは省略するかのトレーニングになる。メッ
セージアプリでよく使われる顔のアイコンを参考にすれば、感情を表すパー
ツを描くこともできるだろう。

　絵の上達のためにも、物体の形の特徴を捉えることは有効だ。まずは、大
まかにどのようなパーツで構成されているかを観察する。その後、対象を見
ないで描いて、完成した絵と見比べてみよう。これを繰り返すと、物体を構
成する要素がだんだん把握できて面白くなってくる。特に自分の好きなもの
から実践すると興味が湧き、楽しさも増すだろう。

始める

技術

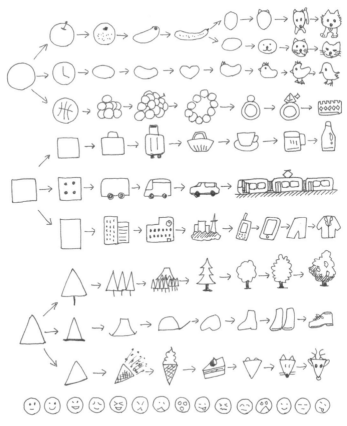

カレンダーページのマスのように小さいスペースでは省略化して描くといい。
変形・省略しても何のイラストかわかるように、ものの形の特徴を捉えたい。

12. 似顔絵を描く （顔のパーツをレイアウトする）

　スケッチジャーナルに思い出を描く時、家族や友人、行きつけのお店の店員さんや自分が好きな著名人等の人物を登場させたい場合もあるだろう。そのために、シンプルな似顔絵が描けるようになると便利だ。「似顔絵」と言うと難しそうに感じるかもしれないが、要は顔のパーツをレイアウトする作業。まずは、髪の毛、眉毛、目、鼻、耳、口の各パーツが顔のどこに並ぶのかを把握して、顔の基本形を覚えよう。描き慣れるまでは鉛筆やシャープペンシルで下書きするか、別の紙に描いてからスケッチジャーナル本体に描き写すといい。

まずは、顔の形（卵型、四角型、三角型、ホームベース型）を描いて、その真ん中に水平線（線①）を引く。その線に沿って目と耳を配置する。次に顎の先端に合わせて線②を引き、線①と線②の真ん中に線③を引く。そこが鼻を置く場所にあたる。さらに、線②と線③の間に口を描く。次は髪の毛。頭のてっぺんに線④を引く。線①と線④の間に線⑤を引いて、その辺りまで前髪を描く。後は目の大きさや鼻の形、髪型を調整して似顔絵の対象に似せていけばいい。慣れてきたら細かい部分までアレンジしよう。顔の長さや横幅、パーツの位置で、その人の個性や年齢が表現できる。

　表情については、4コママンガでシンプルに表現されたキャラクターを参考に、自分が好きな顔を研究するといい。自分自身の顔の喜怒哀楽を似顔絵で表現できるようになると、作品作りにも活かせて楽しい。

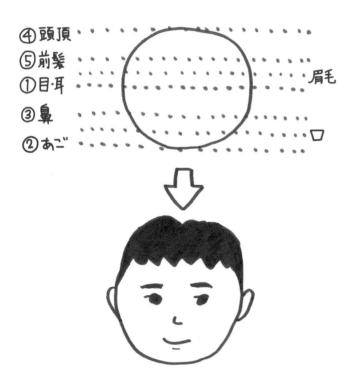

自分が描きやすい人物のスケッチ術を開発しよう。僕はシンプル重視で、さっと描けるスタイルを続けている。

始める技術

13. 1コマイラストの事例

　次ページから掲載する作品は、2020年に描いた僕のマンスリージャーナルだ（一部）。実際は手帳ではなくカレンダーに描いたものだが、手帳のカレンダーページと同じく1コマでその日の出来事を表現しているので、みなさんの作品作りの参考にしていただけるはずだ。

　もともと、ノウトの「白暦」というカレンダーにモノクロで描いていたが、年の終わりに塗り絵感覚で1年分まとめて着色した。白暦は、日付が薄いグレーで印刷されたシンプルなカレンダー。上から塗りつぶしができるので、枠いっぱいに絵を描ける。着色はサクラクレパスの「クーピーペンシル」と、ぺんてるの「マルチ8」を使用した。

　着色後は、1年間の思い出が詰まったこのカレンダーを自宅の廊下の壁に並べて貼り、「ひとり鑑賞会」を実施。珈琲を飲みながら、一つひとつの美しい思い出をじっくり振り返ることは、1年を総括するのにふさわしいイベントだ。みなさんも1年分、描き溜めたらぜひ、手帳を拡大コピーして飾ってみてほしい。

この作品を10年後、50年後、100年後の誰かが見て「あの年は、そんな出来事があったのか」などと、資料として役立ててもらえたら面白いなと妄想した。

ノイズキャンセリングヘッドホンが良い

マイブック 2019年みたいな
自分の本。2019年...

新潮社が出している新潮文庫の手帳は新しいページのデザインとの自分の本を作るかのような創作をデイリー的に毎日をつくりあげたのだよ

マイブックをやっと完成せた

お気に入りは 小さいハサミ 黄色の

ミニバナナと ジェットストリーム かじくてかわいいから添えさせ並べる 2枚で食べる!

合う!! 帆立×パスタ

西麻布で 海老 天丼
久しぶりの贅沢をしたのしいランチタイムをすごした

懐かしいCD発見!! Jazzin' '91-92 UNITED FUTURE ORGANIZATION

アメリカのグラフィックデザイナー、ソール・バスの名言が好きなのでときどき見てみることにしているのでいる

横浜 仕事で

オトナもスケッチに夢中

絵日記講座

カレーを思い出す味 A=YAMA 青山一丁目にある青山ビルは良いすばな店多し!!

あげがき スゴイうどん きつねうどん大好き

I JUST WANT TO MAKE BEAUTIFUL THINGS, EVEN IF NOBODY... Saul Bass

愛用 ビアレッティ 2CUP MOKA EXPRESS

アイス よろしく 夫婦用 LINEスタンプをつくっている

口ふせん付のノートでアイデアまし オレンジカラーでやる気でる EDIT NOTEBOOK for IDEA

しゃぶしゃぶ

のみかいでワイワイ

飲み食べ放題の店で旧友と語る

COFFEEと Mille crepe ミルクレープが好きなのです 飲み会のあとに食べがちなやつ

手動コーヒーミル まわすまわす

ハンバーグラン4 ウマウマ デン4 から揚げ弁当 オレガPC

お好み焼をほおばりながりのビールがサイコー ふわふわ焼き

先輩と同期とたろ ぷりぷりのおしゃべり

自宅の小みな桜 咲いた咲いた

バナナ2つ!!

サングラスに あこがれるが眼が悪いからなの イズでなくてスミマセン カッコイイサングラスの人

将来の自分の本も想像

白替にマンスリー絵日記 © KOUJI HAYATENO

所要タイム 90分くらい

uni PiN 水性 WATER PROOF AND FADE PROOF PIGMENT INK

リモートワークです

オンラインお祈り会で大活躍

オンライン飲み会のお供 しゃり蔵と檸檬堂 枝豆味

美しい花 カサブランカ ぷりッ!レモン

青い空 ビルの分間にて

買ったペン 買い物ついでにちょっとだけ休憩

始めるための動機付け
＆プランニング

1. なぜ、「絵を描きたくなった」のか？

「大人になってから、ほとんど描いていない」。

　そんなあなたが、なぜ今、絵を描きたくなっているのだろうか。なぜ、スケッチブックを使った水彩画やキャンバスに描くアクリル画ではなく、手帳やノートを使ったスケッチジャーナルに興味を抱いているのだろうか。何かきっかけがあるはず。まずは、それを突き詰めたい。

　「創作の初期衝動」は、あなたのクリエイティブな心を灯し続ける永遠の燃料になる。外的要因で継続が困難になりそうな時、創作のモチベーションが下がった時、活動の発端となった「描きたい」理由と熱量を思い出せば、決して挫折することはない。ネガティブな出来事に対しても、「創作に活かせるのではないか」とプラスに思考チェンジできるきっかけになる。

　例えば、インスタグラムで僕の作品を見た人が「同じような絵が描きたくなった」と言って、問い合わせてくることがある。これは「自分自身を記録したい（写真のように残したい）」という衝動が生まれた例だろう。その裏には、「誰かに思いを伝えたい」という強い望みが隠れているかもしれない。中には、「なぜかわからない」「いつの間にか描いていた」という人もいるだろうが、一度じっくりと思い出してほしい。人に勧められたのか、誰かがやっているのを見て自分も真似したくなったか。ノートに年表を書いて、自分史をたどると思い出しやすい。ちなみに、この「初期衝動」は創作活動を続けていくといろいろな人に質問されるので、きっかけは何だったのかを記録しておこう。きっと役に立つ。

KEY WORD

創作の初期衝動　　クリエイティブな心を灯す　　描きたい理由と熱量
プラスに思考チェンジする

創作を始めたいと思ったきっかけとして「夢中で描いている
時は、まわりの音が聞こえなくなって頭の中が空っぽになる。
これが気持ちいいから」という人も多いのではないだろうか。

2. なぜ、「描くのをやめてしまった」のか？

　過去に一度、描いてはみたけれど「やっぱりやめてしまった」という人がいる。なぜ描けなかったのだろうか？　自分なりに理由を書き出してほしい。その時にあなたが置かれていた物理的な環境や、何らかの心理的な要素が影響しているはずだ。

　例えば「時間がなかった」「描く気分ではなかった」という人は、始めるタイミングが悪かったのかもしれない。スケッチが進まない時は、自分の人生との相関性が弱い場合が多い。僕自身、人生を振り返っても、仕事が忙しくて手が回らず焦りを感じたり、生活の変化に不安を覚えたりして別のことに意識が向いている時もあった。しかし今思えば、そういう時こそスケッチジャーナルを通じて気持ちの整理や情報のアウトプットをしたほうが、気分がすっきりしたように感じる。

やっかいなのは、精神的なブロックが働いている時。誰かの絵の技術と自分の力量を比較して抱く劣等感、知識が足りないことや描く技術がないことへの苛立ち。そうして自分で自分の能力の限界を決め付け、「絵心がないから無理」と思考停止状態に陥ってしまう悪循環。そのような状態から脱却するには、他人との比較をやめて自分を深掘りするしかない。

本書を手に取ったみなさんなら、今はまた描きたい気持ちが高まり、描く理由も生まれているはず。次こそは創作活動を生活に組み込めるよう、描けなかった時の自分の「環境」と「状態」を洗い出してみよう。そして、何が問題だったのか、自分の弱点は何か、創作方法や考え方に間違いはなかったか。これらを探り、要因をはっきりさせて対応すれば大丈夫。本書で紹介する方法を実践し、創作を継続的に行う体制を整えよう。

KEY WORD

人生との相関性　気持ちの整理　情報のアウトプット
創作活動を生活に組み込む　継続的に行う体制作り

障壁を洗い出し、問題となっている要素を回避・排除できないかを考えて整理すると、心がすっきりしてくる。

始める　意識改革

3. 自分の良さを磨くことから始める

『千住博の美術の授業　絵を描く悦び』（千住博著、光文社刊）には、次のように記されている。

「絵を描くということは、自分にないものを付け加えていくことではなくて、自分にあるものを見つけて磨いていくこと。自分の良さを磨いていくことです。（中略）まず、自分にあるものは何か、ないものは何か、それをしっかり考えて探っていくということが大事です」（11ページ引用）

僕はこの一文を読んでから、「他人と比べてその差に落ち込み、誰かの活躍をうらやましく思っている場合ではない。自分にとことん集中して、自分が持つ価値を引き出そう」と考えるようになった。

具体的に実践したのは、「自分が情熱を持てるものは何か」を探ること。僕の中にあったのは「日々を楽しく生きよう」とする姿勢、「自分と世の中の接点」や「日本の文化と世界がどのように関連しているか」への興味、人のポジティブな面を見つけてその一点に明かりを灯す喜びだ。これらを創作によって表現することが僕にできることであり、それこそが自分を価値付ける要素になると再確認できた。

まずは自分を深掘りし、自分が情熱を持てるものを見つけよう。あなたが歩んできた人生や過ごした経験、その一瞬一瞬の気持ちに必ずヒントがあるはずだ。自分が情熱を持てるものは、やがては心の底から「描きたい」と思えるモチーフとなり、創作のモチベーションにもなる。

KEY WORD

自分が持つ価値を引き出す
自分が情熱を持てるもの
心から描きたいと思えるモチーフ
自分を深堀りする

自分の考えや視点を伝え、誰かの「創作の扉」を開くためのお手伝いをする――僕にできることのひとつだ。

自分の中にある「幸せな記憶」や「満たされた気分」を書き出して、創作活動のエネルギーをしぼり出そう。それが自分の表現するテーマとなり、やがては自分自身の価値になる。

4.「絵心がない」と「英語ができない」は似ている

　僕が各所で実施したスケッチジャーナル講座では、「いやー、絵心なんてないんですよ!」と手を振りながら話す人と、「絵心がなくて、本当に下手で……」と寂しげに話す人たちを見てきた。だが、「絵を描きたい」という気持ちがあるならば、既に絵心に満たされている状態だ。

　「絵心がない」と「英語ができない」は似ている。僕も英語の会話力は貧弱だが、「話したい」気持ちを前面に出し、知っている英単語を使って交流すればなんとかなる場合が多い。同じ趣味の人であれば、なおさら国籍関係なくコミュニケーションを楽しめる。「英語ができない」という人は、映画に出てくるようなネイティブの人の英語と比べているのではないだろうか。

　絵心も同じで、万人が認める超絶技巧のアーティストや、どんな顔の特徴

始める　意識改革

も捉えて瞬時に似顔絵を描くプロと比較する必要はない。何より、「描きたい」気持ちが大切。描き続けて、完成した自分の作品を眺め、上達したい部分を探ってみる。絵の技法を取り入れるのは、それがわかった後からでオーケーだ。

　僕が出会った「絵心探し」の人には共通する特徴がある。それは、絵に関するネガティブな記憶を持っていること。子どもの頃に家族や友だち、先生から受けた絵に対する批評が苦い思い出として残っているのだ。そんな人は、他人と比較しないことが最重要課題だろう。まず、みなさんには「描きたい」という気持ちをエネルギーに、純粋に「私は今、楽しんでいる」と感じながら創作に取り組んでもらいたい。

KEY WORD

描きたいという気持ち　絵心に満たされる　純粋に楽しむ

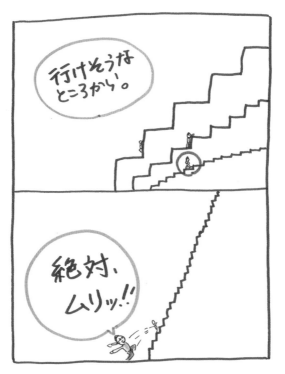

急な階段を上ろうとして、気持ちが辛くなっていないだろうか。周りを見渡すと、少し緩やかな階段がある。その隣には、もっと穏やかな階段がある。「あ、上れそうかも（できそうかも）」と思える階段を選ぶと、楽しむ余裕も持ちながら前進できる。

5. 目標設定はささやかに、自分には甘く

　創作に限らず、成長する過程では3つの要素が自分の前に立ちはだかる。最初に現れるのは、「問題」という壁。次に、それを飛び越えようとして起こる「失敗」。そして、失敗の原因となる自分自身の「弱点」だ。失敗を減らすためには、弱点をなるべくなくすか影響を小さくするしかない。弱点をカバーして、やっと最初の壁を飛び越えることができる。そのまましばらく順調に推移するが、また新たな「問題」がやって来る。そして「失敗」して「弱点」を乗り越えて、といったサイクルを繰り返していくのだ。

　一方で、「美しく、きれいに描きたい」と考え、完璧にやろうとする人は失敗が許せず、この成長のサイクルに入ることができない。目標が高過ぎて自己評価が低く、他人の評価まで気にする状態では、買ったばかりの手帳に文字を書くのはとても怖いだろう。ノートの1ページ目にスケッチを描こうとしても、緊張して最初の描線をためらってしまう。ちょっとでも間違えたら、ノートが「汚れた」と感じて残念な気持ちになり、やめたくなるかもしれない。

　しかし、スケッチジャーナルでは書き間違えてもいいし、線が曲がったっていい。使い込んだ手帳やノートは、自分にとってもそれを見る人にとっても魅力的な存在だ。作者がたくさんの時間を費やし、思いを込めて作った世界でひとつだけの作品なのだから。決して、美しくてきれいに仕上げた作品だから魅力的なのではない。だからあなたも、スケッチジャーナルを作る時は自分への厳しさをちょっとゆるめて、目標もささやかに設定し、まずは楽しむことに集中してほしい。

　マンガや映画、ロールプレイングゲームの多くは、①出発、②試練、③帰還という3つの要素で構成されている。目標に向かって歩き始めると、最初は順調だったのに次第に辛くなり、ついに絶望する。でも、道しるべとなってくれるものや助言をくれる人が現れ、先に進むヒントが見つかって試練を乗り越える。そしてひとつの冒険を終え、また次のチャレンジへと移って行くのだ。自己満足から離れないで、この冒険自体を楽しもう。

KEY WORD

成長のサイクル　弱点の強化　壁を飛び越える　自分への厳しさをゆるめる、
自己満足に集中する

できることから行動すれば、何かを得ようとする目的志向になり、自己実現を少しずつ感じられるようになる。最初から目標を高く設定しなくていい。

6. 自分を構成する3つの要素を考える

「好きなことをやる」「自分に向き合う」「自分を表現する」。これらは、簡単に実践できそうに思えて、実はなかなか難しい。そこで、好きな要素を1つに限定せず、3つ集めて掛け合わせる作業を提案したい。この掛け合わせによって、自分にとって一番の「好き」を探ることができ、創作のテーマを見つけるヒントにもなる。

　まず、円を3つ重ねるように描き、3つの円それぞれに自分が好きな要素を1つずつ書く。僕の場合、①イラスト、②旅、③文具（道具）だ。最強の「好き」は、3つの円が重なった中央の部分。僕が推進するスケッチジャーナルも、この中央に当てはまる。拙著『東京　わざわざ行きたい街の文具屋さ

ん』(ハヤテノコウジ著、G.B.刊)の執筆＆描画も、この核となる部分に吸い寄せられ、実現したものだ。以前から僕をウォッチしていた編集者から、東京の文具店(③)を手描きのイラスト(①)で紹介するガイド書(②)の執筆＆描画を依頼され、プロジェクトがスタートしたのである。当時、ちょうど文具ブームだった時期と重なり、出版社(読者)のニーズと自分の価値(つまりは3つが重なった部分)がぴったり合ったのだ。

　あなたも同じように、自分の好きな要素を3つ選んでほしい。もちろん、人生のステージごとに要素が替わってもオーケー。僕の場合も、今は「文具」に替わって「文学」への思いが強くなっている。コロナ禍によって社会的に移動制限される状況が続いたため、「旅」の在り方も変わるかもしれない。環境によって変動することを前提にしても、3つの「好き」の輪の中心を考えることは、創作のテーマを見つけるのに有効だ。

KEY WORD

好きの掛け合わせ　創作のテーマを見つける　自分の価値とニーズ
人生のステージごとに替える

Sketch Journal

僕の場合、スケッチを続ける過程で手帳やノート、ドローイングペン等の文具が加わり、描く題材を求めて旅をするようになった。

始める

意識改革

7. 創作する前に立てたい3つのプラン

スケッチジャーナルに取り組むにあたり「よし、始めよう」と創作意欲を高めるのに有効なのが、①ロール、②ルール、③ツールのプランニングだ。僕の講座でも受講生たちに最初に教え、実践してもらっている。

ロール（役割）

絵があなたに何をもたらすのか、スケッチジャーナルの「ロール」を明確にする。「絵を描いて、楽しい気分になりたい」「毎日の暮らしにワクワクをもたらしたい」「花の絵を描けるようになりたい」等、絵を描くこと自体が目的の場合もあるだろう。あるいは、「自分の仕事にビジュアル要素を加えたい」「自分のチャレンジ活動を絵として残したい」「旅行の思い出をまとめたい」「自分が参加している啓発団体の内容を知らしめたい」等、絵を描くことが手段の場合もあるはず。ロールを明確にすることで、創作活動の指針が定まる。「時間を掛けてもいい」理由付けができると、作業にも集中できる。

ルール（決まり）

自分流の「創作ルール」を決める。ここで言うルールとは、誰かから押し付けられるものではない。自分で守れる範囲のルールを設定することで、自分の画風や創作スタイルのぶれを抑えるのだ。例えば、「使うペンは2本だけ」「全ページ、モノクロにする」「キャプションは20字ほど」など描くルールを決めたり、「いつ、どこで作るのか」、創作の環境を設定したりする。自分で設定したルールなので、実行しながら調整＆変更してもいい。ちょっと難しいルールをクリアした時のほうが達成感は大きい。「ルールを決める」と言うと、表現の幅が狭まるように感じるかもしれない。しかし、「ルールを守るにはどうしたらいいか」の試行錯誤を通じて工夫の仕方や制作方法が身に付き、逆に表現の幅が広がるのが面白いところだ。

ツール（道具）

創作に利用する「ツール」を決める。特にスケッチジャーナルを始めたばかりの頃は、いろいろなツールを試して愛用品を見つけよう。道具を手に入れたことで生まれる創作のモチベーションはあなどれない。僕も長年の創作活動でツールを増やしたが、今でも定期的に売り場を見てまわるのは楽しい。特に、自分の好きなアーティストが使う道具を調べるのはおすすめだ。

自伝書に載った写真やインタビュー映像、展示等で道具が紹介されることもある。どんな道具から作品が生まれたのか、どのような手順で使っているのか。作品の創作プロセスを知ることは、自分が使う道具を選ぶ時のヒントになる。

KEY WORD

創作意欲を高める　活動の指針が定まる　時間を掛けてもいい理由付け
クリアした時の達成感　表現の幅が広がる

ロール、ルール、ツールの3つをあらかじめ決めることで、創作スタイルを確立できる。自分のプロフィールを形成するのにも役立つ。

8. 憧れの表現者から影響を受ける

　創作を始めたばかりの頃は、とにかく探索の時期。その中で「自分が関心を寄せる表現者は誰なのか」「彼＆彼女から、どのような影響を受けているのか」は、常に探っていきたいところだ。

　あなたが、どうしても気になってしまうクリエイターは誰だろうか。小説家や俳優、司会者、ミュージシャン等、国内や海外は問わない。人間は最も長い時間を共有している相手や、考えている時間が長い人物の影響を受ける。例えば、妖怪漫画家の水木しげる先生に師事し、妖怪小説の第一人者になった京極夏彦さん。イエローマジックオーケストラに強い影響を受け、音楽を始めた数々のミュージシャン。僕の場合も、心のメンター（211ページ参照）や、勝手に師匠と仰いでいる有名人に大きな影響を受けている。いとうせいこうさん、みうらじゅんさん等のマルチな表現方法に強く惹かれ、その2人に影響を受けた下の世代のミュージシャンや文化人にも憧れる。

　自分が直感的に好きだと思える表現者を見つけたら、ネットでその人物の動画を探そう。時代背景や心象が見えやすいインタビュー映像がおすすめだ。その人の心の内やプライベートでの実話、影響を受けた相手を語る時、自分に役立つヒントがたくさん見つかる。すると、また刺激を与えてくれる新たな表現者に出会える。その人物を追うと、さらに別の人物に行き当たる。やがて、あなたは彼＆彼女たちの創作活動における共通点を見つけることだろう。それが創作思考のヒントとなり、目指すべき目標にもなるのだ。

KEY WORD

直感的に好きだと思える表現者
創作思考のヒントになる
目指すべき目標になる

僕の創作活動や考え方はみうら
じゅんさんの影響も受けている。

ハヤテノ門下生に聞くチャレンジ体験記

マンスリージャーナル

実践者：Textmarker さん
テキスト　マーカー

職業：蛍光ペン研究家ユニット　Instagram：@textmarker_ltd
愛用道具：トラベラーズノート パスポートサイズ リフィル 月間フリー（トラベラーズカンパニー）、ピグメントライナー（ステッドラー）、ピットアーティストペン グレートーン（ファーバーカステル）、ハイライター 2532（セントロペン）

🅐＝ハヤテノコウジ、🅣＝Textmarker さん

🅐 Textmarkerさんは僕の講座が終わった後も、マンスリージャーナルを続けてくれていますよね。嬉しいです。

🅣 はい。ハヤテノ先生にスケッチのコツを教えてもらい、「小さい絵なら続けられるかも」と思って。

🅐 小さいスペースに、上手く省略＆アイコン化して描かれていますよね。

🅣 人物や動物を描くのが苦手なので、描きやすい静物やロゴを多く選んで描いています。対象物の中で一番のポイントになるところだけしっかり描いて、後は気楽な感じに。

🅐 英語とイラストの組み合わせで、とてもポップに仕上がっていると思いますよ。使われている手帳は何ですか？

🅣 思い付いた時、すぐ描けるように軽くて薄い「トラベラーズノート パスポートサイズ 月間フリー」を使っています。日付が印刷されていないフリータイプなので、日にこだわらず柔軟に描けるのが嬉しいです。

🅐 使っているペンも2カラーのみで、それがまたいい味を出していますね。

2020年2〜3月頃のマンスリーページ。「コロナ禍によって、暮らしが大きく変化する節目の時期だったことが記憶に残っている」とTextmarkerさん。特に人物が上手く省略＆デフォルメされ、たくさん描かれている。

スケッチジャーナルの講座で教わってから、初めて描いた思い出の作品。イエローの蛍光ペンで部分的に着色し、アクセントにしたのがこだわり。こちらは手帳ではなく、印刷したカレンダーに描いている。

🖊ペン先が細め（0.05mm）の「ピグメントライナー」に、ブラシタイプの「ピットアーティストペン グレートーン」を合わせています。モノトーンでシンプルに、水彩画のような色使いに憧れていたのでこの組み合わせにしました。

🦅描くネタは、どのようにして決めていますか？

🖊内容は決めず、「今日は○○をした」というような一言日記を、イラストで表現しているイメージです。その日にあったことを何か1つ描くというのは、簡単なようで意外と難しいですね。ハヤテノ先生に教わったとおり、上手く描こうとはせず、細かい部分にこだわらないよう注意しているので、描くこと自体は難しくないのですが。

🦅何も起きなかった日は悩みますよね。

🖊そうなんです。「1日1つなんだから、何かしら描けるものはあるだろう」と思うところですが。

🦅でも、そのネタ探しもスケッチジャーナルの楽しみのひとつだと思います。ネタ探しを通して自分の暮らしを振り返り、単調な中にも楽しみを見出すことができるはず。

🖊はい。例えば一杯のビールが美味しかったとか、お気に入りの文具を使ったとか、何か1つを選び出す行為は「単調な1日の中にも特別な何かがある」ということを知る機会になって、それが日々の暮らしにおける気持ちの向上にも繋がっていると感じます。

🦅いいですね。マンスリージャーナルの効果は「何気ない日々の暮らしも素敵だな」と肯定的に捉えられるようになること。その効果が、Textmarkerさんにも現れていますね。

アルファベットとシンプルなスケッチの組み合わせがポップでいい感じですね。
1コマごとの出来事がとても見やすいデザインになっています！

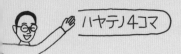

アレンジの一例。アレンジの一例。

紙を足す

テープ

ノート本体

ノートがいっぱい、でもまだまだ描きたいな足し紙です 足し紙

コースターをなぞれば円がラク

応用に 皿

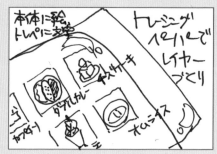

本体に発泡、トレペに完成

トレーシングペーパーでレイヤーづくり

ロールケーキ

ダブルカレー オムライス

使わない会員券など(プラスチック)

ミニコーナー風に

カードなぞれば長方形がラク

余っているマステも使いまくる

マステにタイトル

フレームをマスキングのテープで

アレンジ

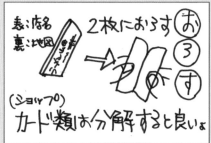

表:店名
裏:地図

2枚におろす

お る す

(ショップ)

カード類はお分解すると良い。

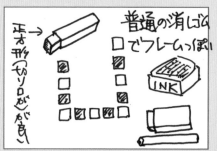

正方形→

正方形(モノソロが良い)

普通の消しゴムでフレームっぽい

INK

オリジナルの型紙をつくる

ジャガイモごとの型

フレーム

↑押す

ノートになぞる

フレーム

けしごむハンコ

Sketch Journal

続ける

デイリーチャレンジ

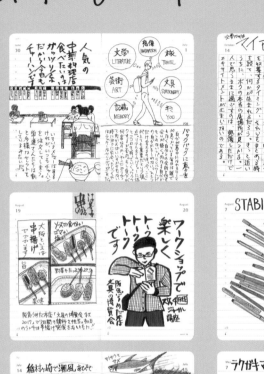
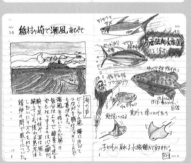
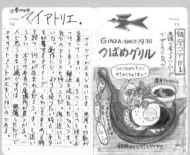
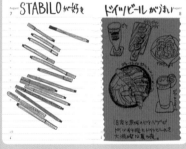

デイリージャーナル

スケッチに慣れてきたら、365日分の出来事を描く「デイリージャーナル」にトライ。

描くだけでなく、紙素材を貼ったりハンコを押したりして

1日1ページ分の記入スペースがあるデイリータイプの手帳を埋めていく。

過ぎ行く時の中で、今日という1日を、一瞬のきらめきを逃さず記録しよう。

A Sumo Mandarin and Amaou Parfait

東京駅 果実園にて

でこぽんとあまおうのパフェ

KAGITSU-EN
TOKYO STATION

KH

1日1ページの
「デイリージャーナル」

1. 365日分、1日1ページを埋める

　マンスリージャーナル（32ページ参照）に慣れてきた人には、365日分の出来事を描く「デイリージャーナル」のチャレンジを推奨している。1日1ページ分の記入スペースがあるデイリータイプの手帳を使うので、工夫して制作しないとページがなかなか埋まらず、継続の難易度が高いスタイルだ。小さいマスを埋めるだけで良かったマンスリーチャレンジに比べるとハードルは上がるが、完成した時の充実感と満足感はマンスリーチャレンジに勝る。

　ページを埋めるために使う道具を増やし、新たな制作方法を取り入れながら試行錯誤する過程で、技術的なレベルアップも図れる。「何を描こうかな」ではなく、「どのようにまとめようかな」といった編集的なアイデア思考が必要になるからだ。特筆すべきネタがない日は「どのように対応しようか」と創意工夫し、新たな挑戦にもなる。

　デイリージャーナルの1ページは、自分に向けたニューストピックスだ。「今日は鎌倉の砂浜に行って心をリフレッシュ」という穏やかな報告や、「今日は結婚20周年記念日」という大切なお知らせ等。これらのトピックスは、実際、楽しい出来事ばかりではない日々の中で、「なんだかんだ良い日だったな」とプラスに解釈できるきっかけになる。そして過ぎ行く時の中で今日という1日を、一瞬のきらめきを逃さず記録しようという創作意欲によって、自分自身、そして日々の暮らしへの関心も高まるだろう。

僕は完成したデイリージャーナルを本棚に並べている。これはスケッチというよりも「自分の本」のような存在だから。

続ける ● 実践

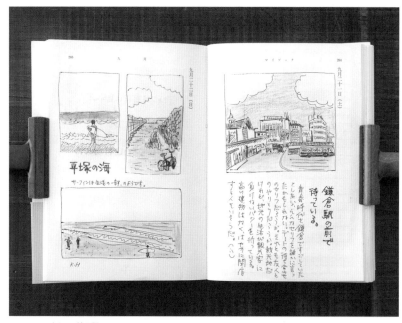

デイリー絵日記
制作：2019年
道具：マイブック2019年の記録（新潮文庫）、フリクションボールノック（パイロット）、スプラカラーソフト（カランダッシュ）

文庫サイズで、日付と曜日しか印刷されていない「マイブック」を使用。1日目は鎌倉の海、2日目は平塚の海を満喫した時の記録。フレームに収めて絵を描き、写真のように表現した。

2. デイリータイプの手帳を使う

　　デイリージャーナルを実践するにあたり、できればデイリータイプの手帳を用意してほしいが、日付が印刷されておらず記入欄だけあるフリースケジュール帳でもオーケー。デイリータイプだと手帳シーズン以外は売り場に並んでいないことが多いが、フリースケジュール手帳なら通年で購入可能だ。

　　どちらのタイプもポケットサイズ（文庫サイズまたはA6サイズ）を選びたい。理由は、完成した時に両手の中に収まる「マイブックができあがった感じ」を味わってもらいたいからだ。365日分のページが埋まったスケッチジャーナルは、1年間の自分の人生が詰まった本のような存在になる。加えてA5やB6以上のミディアムサイズのノートだとスペースが広く、完成させるのに気合いがいるので、初めてのチャレンジではポケットサイズを勧めたい。

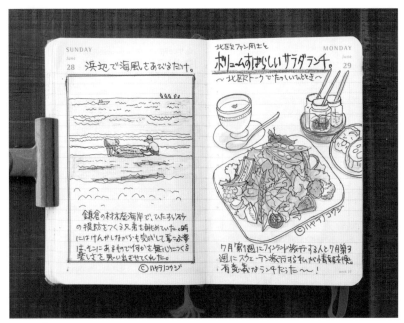

デイリージャーナル
制作：2015年
道具：デイリーダイアリー ポケット（モレスキン）、ピットアーティストペン（ファーバーカステル）、スタビロ
グリーンカラー（スタビロ）

友人と食べたボリューム満点のサラダランチ（右）と、鎌倉の海で見掛けた砂の城を作る兄弟
（左）。その日、一番印象に残った光景をイラストで表現し、タイトルとキャプションを添えている。

3. 1ページを3分割して構成する

　デイリージャーナルの真っ白な1ページを、どのように構成すればいいの
か？　道具や作り方にルールはなく、スペースが広くて自由度も高いぶん迷
いが生じやすいだろう。マンスリージャーナルと同じく（37ページ参照）、基
本的に①タイトル（その日の出来事を端的に表す見出し）、②ビジュアル（出
来事に関連するイラスト）、③キャプション（出来事の説明文）の3つの要素
を入れると情報を整理しやすく、後で見返した時もわかりやすい紙面に仕上
がる。

　1ページのレイアウトも3分割して、タイトル、ビジュアル、キャプションを
配置していく。その際、それぞれのエリアの広さを決めたい。タイトルを大き
く書くのか、ビジュアルをメインにして残りの2つは控えめにするのか、ある

続ける

実践

いは説明文を多めにするのか。その日に描きたいテーマと情報量によって調整する。

　タイトルは大きく、太く書いて目立つように。キャプションの文字サイズはタイトルより小さめに。メリハリを付けるため、タイトル、ビジュアル、キャプションで筆記具を変えるのも手だ。僕はタイトルを強調するため、ぺんてるの筆ペンを使うことがある。3分割が基本だが、慣れてきたら4分割、5分割と自由にレイアウトしよう。

　盛り込みたい情報に合わせてページを分割していくと、まるでお弁当を詰めているような面白さに気が付く。一番食べたいものをメインにするのもいいし、幕の内弁当やおせち料理のようにいろいろ詰め込んでも楽しい。

3分割レイアウト

調整

ページを3つのエリアに
分けていく
→タイトルのエリア
→ビジュアルのエリア｝主役は広く
→キャプションのエリア

自由分割レイアウト

自分の気分で好き
なように分けていく
→マンガのコマ割のイメージ
→先にレイアウトする

ビギナーは3分割から、慣れてきたら自由分割にも挑戦しよう。レイアウトを先に決めると枠を埋めるために情報の取捨選択が進み、創作の効率性が格段にアップする。

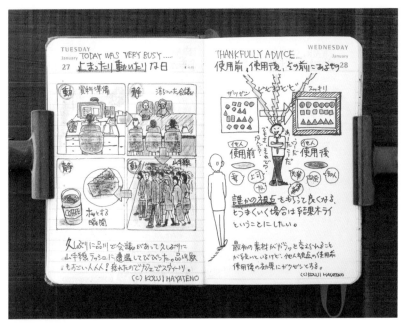

デイリージャーナル
制作：2015年
道具：デイリーダイアリー ポケット（モレスキン）、ピットアーティストペン（ファーバーカステル）、クーピーペンシル（サクラクレパス）

テキストスペースも含めてページを5分割し、型紙を使って4つの正方形を描いた（左）。正方形の中には、その日に感じた「動」と「静」の心情に繋がるシーンを配置している。

4. 作業の効率化＆自分スタイルの発見

デイリージャーナルは、365日分のページをすべて「何かで埋める」ことが目標だ。そのため、紙の素材を貼ったり過去のスケッチジャーナル作品を流用したりして工夫する。包装紙やショップカード、映画やコンサートのチケット等、貼ることができる素材を見つけたらとっておこう。デイリージャーナルを始めると、「これを貼ればページが埋まる」ような素材がないか、意識するようになる。

入手した素材はそのまま貼っても良いが、せっかくならば素材にメモを記入したり、説明文やスケッチを添えたりしてひと手間加えよう。ショップカードのように厚みのある紙は、何枚かの紙が重なってできていないかを確認。上手く紙が割れば、薄くして貼ることができる（98ページ参照）。剥がれな

いよう、特に素材の周辺や隅はしっかりのり付けを。そこまでがっつり貼らなくても良ければテープのりを使ってもいい。素材の周辺に沿うようにしてマスキングテープで貼ることもある。いずれも96ページから紹介しているので、参考にしてほしい。

　素材を配置するためのレイアウト調整、メリハリを出すためのサイズ設定等、自分好みのページ作りもどんどん実践しよう。最初にある程度の創作ルール（材料の使い方や道具、創作時間）を設定し、描きやすいかどうかをチェックしたり、新しい表現を試してルールを変えたりして試行錯誤しながら数をこなすうち、だんだんと自分が作りやすい型がわかってくるはずだ。同時に、作業時間が短縮されて継続の負担が減っていく。デイリージャーナルによる365日チャレンジをクリアして、ぜひ自分のスタイルを発見してもらいたい。

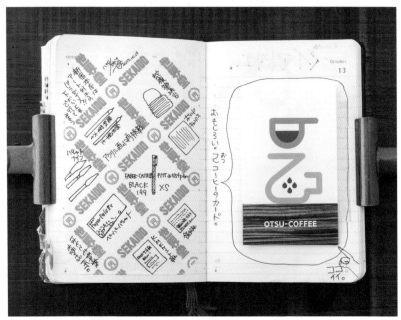

デイリージャーナル
制作：2017年
道具：デイリーダイアリー ポケット（モレスキン）、ピットアーティストペン（ファーバーカステル）

東京・新宿の画材店『世界堂』での買い物がとても楽しかったので、それを表現（左）。1ページ全体に『世界堂』の包装紙を貼って、デザインの空欄を埋めるように思い出や商品をペンで描き込んでいる。

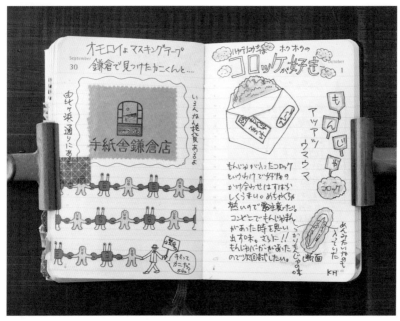

デイリージャーナル
制作：2017年
道具：デイリーダイアリー ポケット（モレスキン）、ピットアーティストペン（ファーバーカステル）

『手紙舎鎌倉店』（現在は閉店）のショップカードとともに、お店で購入した蟹デザインのマスキングテープを貼った（左）。マスキングテープの柄に合わせてイラストを描いているのもポイント。

5. アイデア出し＆ネタ集め

一人ブレスト

「ブレスト」という言葉をご存知だろうか？　正確には「ブレインストーミング」と言い、ひとつのテーマに対して複数人でアイデアを出し合う会議方式だ。①人の意見を否定しない、②アイデアは数が勝負、③人の意見に乗ってもいい、④発散させたら収束させる（アイデアをたくさん出してまとめる）というルールがあり、年齢や経験、役職は関係なくアイデアを出した人が評価される。現在では「一人ブレスト」という言葉も生まれ、ひとりでアイデア出しを行う際に使われる。

　スケッチジャーナルでも、この一人ブレストが活用できる。あるテーマやフォーマットに対して、「自分が今、持っている発想力と技術と道具を使って、

続ける
実践

いったい何を表現できるか」と一人で検討するのだ。僕はデイリージャーナル
を作る時も、例えば会社帰りの電車の中で「今日の夕飯は何にしようかな」と
同じノリで、「今日の記録はどんなふうにまとめようかな」と考える。

　一人ブレストの方法は自由。僕は『シンプリシティの法則』（ジョン・マエダ
著、東洋経済新報社刊）で紹介されている「SLIP」という方法を用いている。
アイデアをたくさん出した後に、同じグループに整理して（SORT）、そのグ
ループに名前を付け（LABEL）、さらにグループにまとめて（INTEGRATE）、
優先順位を付ける（PRIORITIZE）。そうすることで、細かいアイデアがまと
まっていく。

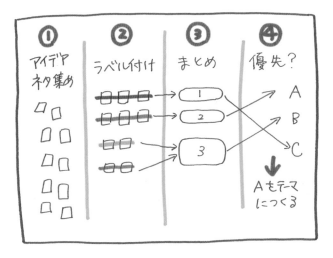

ネタを書き出して整理し、ラベル付けを行う。さらに情報をまとめ
て「今日のメインはこれだ」というトップニュースを決めていく。

ゼロノート

　アイデアを広げる時、僕は無印良品の「植林木ペーパー裏うつりしにくい
ノート」を使っている。B5サイズ＆5冊セットで199円とリーズナブルだし、軽
くて開きやすい上に裏写りしにくい。今までいろいろなノートを試したが、結
局はこのシンプルなノートがベストだ。僕はこれを「ゼロノート」と名付け、
出勤時や休みの日の外出時も携帯し、一人ブレストを行っている。

　「ゼロ」と名付けたのは、ここに書いたアイデアが集約用のノートに転記し

た後、役目を終えるからだ。以前は使い終わったら廃棄していたが、無印良品のノートを使うようになってからはすべて保管し、1年に1回は見返す。ぺんてるの「サインペン」や三菱鉛筆の「ジェットストリーム」を使い、思い付くままに書きなぐったページは、見た目はきれいではないが、思考を吐き出した時の勢いを感じるので気に入っている。

書きやすいペンで、とにかく思い付いたアイデアをゼロノートに書き出す。整理し終わったアイデアは、大きくバッテンを付けてわかるようにしている。

植林木ペーパー裏うつりしにくいノート 5 冊組 B5・30 枚・6mm 横罫・背クロス 5 色（無印良品）、サインペン（ぺんてる）、ジェットストリーム スタンダード（三菱鉛筆）

ゼロノートの表紙には、何番目のノートかを判別するために数字を大きく書いている。現在、30冊以上は溜まっている。

続ける
実践

マンダラート

一人ブレストでさらにアイデアを増やしたい時、大活躍するのが「マンダラート」という発想法だ。

まず縦3×横3、計9個のマスを描き、中心のマスにスケッチジャーナルの大テーマを記入する。例えば、スケッチジャーナルをテーマに作る場合、真ん中に「スケッチジャーナル」と書く。

	スケッチ ジャーナル の本	

次に、周りの8個のマスに「スケッチジャーナル」で取り上げたいテーマを書く。例えば、「コンセプト」「準備」「始める」「続ける」「極める」「秘話」「メンター」「愛用品」といった具合だ。これで1個のマンダラートが完成する。

愛用品	コンセプト	準備
メンター	スケッチ ジャーナル の本	始める
秘話	極める	続ける

このマンダラートのまわりを囲むように、さらに縦3×横3、計9個のマスから成る新しいマンダラートを描く(中央を含め、計9個のマンダラートの集合

体になる）。そして、中央のマンダラートに記入した8つのテーマを、まわりのマンダラートの中央のマスにも記入する。

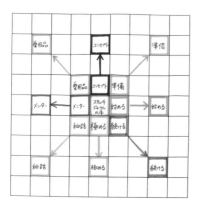

　まわりのマンダラートもそれぞれ、残り8個のマスを埋めていく。中央のマスに記入したテーマに関連する、サブテーマを入れていくのだ。この作業によってテーマを深掘りし、ネタがどんどん細分化されていくのがわかる。

その他	筆記具	ノート	メリット	コンセプト	効果	手帳	ノート	三行日記
便利ツール	愛用品	手帳	3つのニーズ	コンセプト	対象	筆記具	準備	カレンダー型
修正ツール	コラージュツール	カラー筆記具	解放	自分基準	可能性	対処法	満喫点	テーマ型
みらいじゅんさん	クリエイター仲間	土橋正さん	愛用品	コンセプト	準備	生徒さん	マンスリージャーナル	マンスリージャーナルのコツ
木林座山下さん	メンター	森井ユカさん	メンター	スケッチジャーナルの本	始める	意識改革	始める	トレーニング
ナカムラクニオさん	泉麻人さん	たかしまてつをさん	秘話	極める	続ける	事例	アレンジ	描くコツ
スケッチ確立 成とか	ターニングポイント	仲間	生徒さん	テーマ型ジャーナル	テーマ型ジャーナルのコツ	生徒さん	デイリージャーナル	デイリージャーナルのコツ
創作ライフ	秘話	スタイル確立	アレンジ	極める	テーマ分類	事例	続ける	デイリージャーナル活用
交流	ぱらいきキャリア	アイデアアイデア	クリエイターになる	事例	レイアウト	修正	飾り付け	アレンジ

　このマンダラートは、僕が本書の構成を考える時に書いたものだ。あくまでアイデア出しなので、ここから編集者の手が加わりブラッシュアップされていく。

スケッチ散歩

　マンダラートが机上で行う発想法だとすると、歩きながら行う発想法を僕は「スケッチ散歩」と呼んでいる。何かのテーマについて考えながら歩く場合と、歩くことでネタ集めをする場合がある。いずれもメモ帳やスケッチブックを持参して歩き、時々立ち止まってアイデアを描きながら発想を整理する。僕は、メモ用にクオバディス・ジャパンの「ブロックロディア」、スケッチ用にマルマンの「図案スケッチパッド ハガキサイズ」を使っている。両方とも本体から中の紙を切り離せるので、デイリージャーナルに貼り付ける素材としても使える（スケッチパッドは縮小コピーが必要）。

　移動しながらのメモは書きなぐりたいので、自分にとって使いやすい筆記具を持参。僕は三菱鉛筆の「ジェットストリーム」を必ず携帯している。スマートフォンも、写真撮影するのに必要だ。ビジュアルを残したい時はもちろん、その場でメモするには文章が長過ぎる案内板や掲示板を撮ることもある。スケッチ散歩の結果をその日のデイリージャーナルに描くだけでなく、ここで見つけたネタを別の日に使うこともできる。アイデアを集めて活かす、これはとても楽しい知的作業である。

東京の文京区＆台東区をスケッチ散歩した時の資料。スケッチは1枚1ネタにこだわって描き、本体から切り離して順番を並び替えながら共通テーマを探したり、別のスケッチジャーナルに展開させたりする。
ブロックロディア No.11（クオバディス・ジャパン）、図案スケッチパッド ハガキサイズ（マルマン）

6. マンスリージャーナルへ転記する

　デイリージャーナルの1か月分のページが埋まったら、各ページの内容を
デフォルメしたり省略したりしてコンパクトにまとめてみよう。これは、マン
スリージャーナル（32ページ参照）のマスを埋めるコンテンツにもなる。つま
り、デイリージャーナルのネタをもとにすることで、マンスリージャーナルが
ゼロから作るよりも簡単に完成するのだ。制作の効率性を上げ、より多くの
スケッチジャーナル作品を生み出すための工夫である。僕は月末に完成した
デイリージャーナルをもとに、2時間半ほどでマンスリージャーナルを一気に
描くことがある。

　デイリージャーナルと連動させたマンスリージャーナルは、「記憶の索引」
のような役割を持つ。インターネットに例えると、マンスリージャーナルはデ
イリージャーナルのサムネイルのような感じだ。日々のトピックスを綴るデイ
リーと一覧性のあるマンスリー、この2つを連動させることで振り返りの質
が高まるメリットもある。もちろん無理に連動させる必要はなく、個別に楽し
んでもいい。

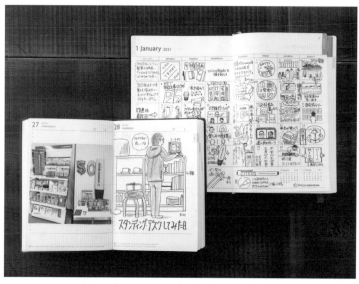

デイリージャーナルを1か月分描き上げてから、マンスリージャーナルの該
当日に描き写す。その際、ある程度のデフォルメやシンプル化を施していく。
デイリーとマンスリーを別々に作るよりも、かなりの時間短縮になるだろう。

続ける　実践

7. 3つのチェック事項で1年を振り返る

　1年分のデイリージャーナルを作り終えた後は、マンスリージャーナル（32ページ参照）と同じく、ぜひ作品の振り返りをしてほしい。1月1日から12月31日までを、1ページずつじっくり読み返していくのだ。その際に着目したいチェック事項が3つある。

　まずは、自分のスタイルができあがったかどうか。作りやすい型はどれだったか、イメージどおりに完成したのはどれか。自分の好みがわかれば、ぜひそのスタイルを追求してほしい。次に、「読みやすさ」についての確認だ。読者は自分自身なので、きれいにできているかというよりも、自分の好きな雰囲気であれば作品の仕上がりとしては十分だ。ただし、文字がつぶれていて自分でも読めない場合は、使用するペンの再検討や描く時の体勢を見直してみよう。

　最後は、お気に入りのページはどこか。心が満たされる内容で、何度も読み返したくなるページを探そう。そこに、自分が人生を賭けて深堀りしたいテーマがあるかもしれない。新たなテーマ型スケッチジャーナル（140ページ参照）のアイデアにも繋がるだろう。デイリーチャレンジの達成は、本当にたいへんなことだ。「お疲れさまでした」と自分を褒めてあげよう。

年末、デイリージャーナルを見ながら1年の振り返りをしよう。そして翌年、新たにチャレンジしたいスケッチジャーナルの内容を考えるのも楽しいひとときだ。

創作の幅を広げる道具
& 編集スキル

創作の幅を広げる道具

　道具選びはスケッチジャーナルの楽しみのひとつだ。「始める」の章で紹介した手帳やノート、ドローイングペン、色鉛筆以外にも、いろいろな道具の力を借りて作品を仕上げていこう。創作の幅もぐっと広がり、新たなワクワクを生み出してくれる。

1. 材料を貼る（スティックのり・テープのり）

　スケッチジャーナルは、プリントアウトした写真や資料から雑誌や新聞の切り抜き、ショップカード、パンフレット、カタログ、お店の包装紙、商品のパッケージに至るまで、貼ることができる素材をどんどんくっ付けて作品の一部にしていく。見開きのページ全体に複数の紙素材を貼って、コラージュ作品を作ることも。そのため、のりやテープを使いこなす必要がある。

　僕は「スティックのり」と「テープのり」をよく使う。スティックのりは用途別に種類があるが、特にトンボ鉛筆の「シワなしピット」を愛用している。名前のとおりシワになりにくく、貼ってすぐなら貼り直しも可能。僕は少し曲がって貼ってしまうことが多いため、調整できるのは嬉しい。同じシリーズで、色付きで塗った部分がわかりやすい（乾いたら色が消える）タイプや強力粘着タイプ、細部を塗るのに便利なペンタイプ等が販売されている。ちなみに、のりは紙の上下左右と4つの角にしっかり塗るとはがれにくい。

　テープのりは修正テープと構造が似ていて、対象物にテープを当てて手前に引くと貼ることができる。愛用しているテープのりは、コクヨの「ドットライナー」。のり面がドット柄なので貼り付け直後は粘着力が弱く、貼り直しができるのでありがたい（時間が経つとのりが定着する）。

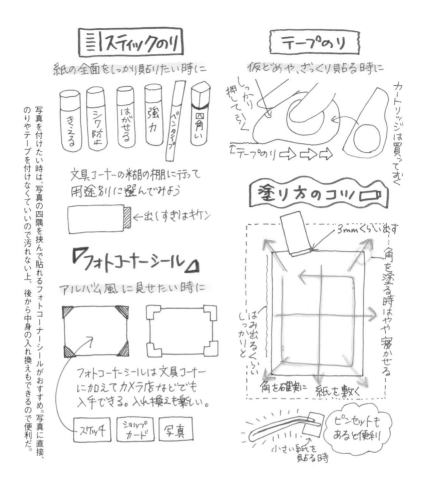

写真を付けたい時は、写真の四隅を挟んで貼れるフォトコーナーシールがおすすめ。写真に直接、のりやテープを付けなくていいので汚れない上、後から中身の入れ換えもできるので便利だ。

スティックのり

紙の全面をしっかり貼りたい時に

きえる / シワ防止 / はがせる / 強力 / ペンタイプ / 四角い

文具コーナーの糊の棚に行って用途別に選んでみよう

←出しすぎはキケン

フォトコーナーシール

アルバム風に見せたい時に

フォトコーナーシールは文具コーナーに加えてカメラ店などでも入手できる。入れ換えも楽しい。

スケッチ / ショップカード / 写真

テープのり

仮どめや、ざっくり貼る時に

しっかり押してね

←テープのり→→→

カートリッジは買っておく

塗り方のコツ

3mmくらいあす

角を塗る時はやや寝かせる

はみ出るくらいしっかりと

角を確実に

紙を敷く

小さい紙を貼る時

ピンセットもあると便利

2. 紙をカットする（ハサミ・カッター）

　ハサミやカッターは、実にさまざまな種類がある。例えば、僕が「切手風に、ギザギザの形にしたい」と思って見つけたのが長谷川刃物の「ナミっコII」。紙をセットしてパンチすると切手の形に切り抜くことができる、ペーパーインテリジェンスの「DECOP エンボッシングパンチ スタンプ」も愛用中だ。

　厚みのある紙だけでなく金属までカットできるプラスの「フィットカットカーブ 万能はさみ」、上の紙を1枚だけ切ることができるオルファのカッター「キリヌーク」も、創作に欠かせないアイテム。紙の角をセットして上からパチン

と押すと切り口が丸くなる、サンスター文具の「かどまる3」は文具ファンにも人気だ。角を丸くすると、なぜか可愛くなるから不思議である。対象を円形にカットできるオルファの「コンパスカッター」は、紙を丸くカットしてコースターのようなテンプレートを作成するのに必要だ。この丸いテンプレートは、料理が載る「大中小のお皿」を描く際に使っている。

　ちなみに、ショップカードやラベル等を貼る時、手帳やノートに厚みが出ないようカードやラベルの紙を指で割って分け、薄くすることがある。この紙の分割を、文具マニアの間では「紙をおろす」と言っている。

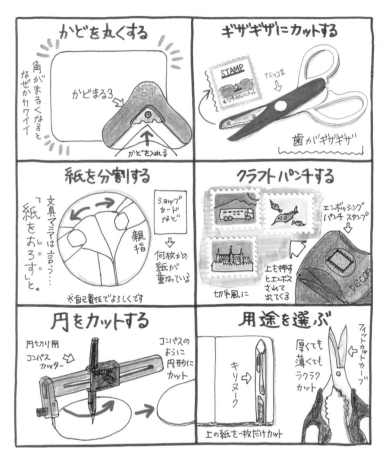

紙をカットする道具は用途ごとに多岐にわたって販売されているので、自分のイメージを実現してくれる商品を探そう。思いがけず便利な道具に出合えた時は嬉しい。

3. 鮮やかにする（カラーマーカー）

　カラーマーカーには大きく分けて、水性タイプ・油性タイプ・アルコールタイプ・アクリルタイプがある。僕がよく使う水性タイプのマーカーは、スタビロの「ペン68」。鮮やかな発色が特徴で、文字を書く、線を描く、広範囲に色を塗る等、さまざまな用途に使える万能ツールだ。独自のインクで、24時間キャップなしでも乾かない。アルコールタイプは、トゥーマーカープロダクツの「コピックスケッチ」、アクリルタイプはバニーコルアートの「リキテックスマーカー」を使用中。コピックは、マンガやイラスト好きにはおなじみの人気ツールだ。リキテックスマーカーはアクリル絵の具と同様の特性を持ち、絵の具のような本格的な色塗りができる。それぞれ手帳やノートの紙質に合わせて使っている。

水性タイプ
にじみにくい。繊細な描写にぴったり。文字も描きやすい。

アルコールタイプ
乾きが速い。重ね塗りによって幅広い表現が可能。

アクリルタイプ
アクリル絵の具の発色の良さ、鮮やかさを活かせる。

技法

・**重ね塗り**（アルコール・アクリル）
アルコールタイプは二度塗りやチェック柄、グラデーション、にじみ、ぼかしなどが可能。アクリルタイプは乾いた後に色を重ねる。

・**陰影**（アルコール）
濃い色に淡い色を組み合わせて多彩な表現ができる。

手帳は紙が薄いものが多く、マーカーを使うとインクが裏抜けしてしまう。その場合、別の紙にマーカーを使って絵を描き、それを手帳に貼ればいい。

4. マイルドにする （色鉛筆・カラーマーカー）

　マイルドな色彩表現ができるツールも、ぜひ試してほしい。広範囲を塗りたい時や、全体的にやわらかい雰囲気に仕上げたい時、僕はサクラクレパスの「クーピーペンシル」をよく使う。クレヨンの発色の良さも併せ持つ色鉛筆で、とにかくやわらかくて塗りやすい。色を重ねて塗ると濃淡を出すことができるし、光が当たる部分も表現できる。

　優しい色合いが特徴的なゼブラの「マイルドライナー」も、さまざまな用途で使用している。特に、下図のようなマップを描く時は必須。自分で描いた地図の線をなぞるように塗って、海上と陸地の境界線や道路を表現している。地図にはここからさらに多くの文字情報やイラストが入るので、目立ち過ぎないマイルドな色がちょうどいい。

クーピーペンシル
さえあれば
塗りが楽々

地図の表現として

マイルドライナーで
海を表現

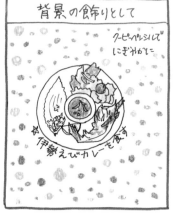

背景の飾りとして

クーピーペンシルで
にぎわいを

伊勢えびカレーを食す

ジョッキの中身に黄色を塗り、その上に少しオレンジ色を加えたら、ゴクリと喉が鳴りそうなビールになった。その左の並木は、黄色の上に緑色を重ねることで、紅葉した部分と緑葉の両方を表現している。

続ける
技術

5. 線に表情を出す（カラー筆ペン）

　年賀状の宛名書き、お店のメニュー書きによく使われる筆ペン。僕はキャプションの細い線と差を付けてメリハリを出すために、タイトルを筆ペンで太く書くことがある。筆ペンと言えば黒のイメージだが、金・銀をはじめカラーが増えているのをご存知だろうか。各メーカーが豊富な色を出しているので、カラーマーカーの代わりにカラー筆ペンで着彩することも増えてきた。筆の持ち味を活かして、鮮やかな作品作りに役立ててほしい。筆ペンは、穂先とその上の部分を使って、細部と広い部分の両方の筆記と塗りに対応できる。細く描きたい時は筆ペンを立てて使い、広く塗りたい時は寝かせよう。

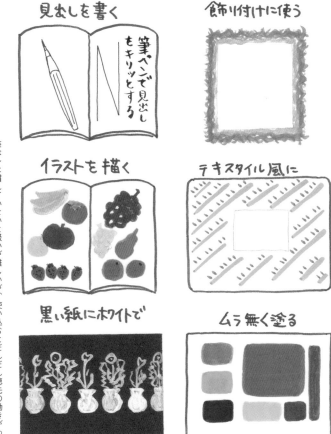

見出しを書く

筆ペンで見出しをキリッとする

飾り付けに使う

イラストを描く

テキスタイル風に

黒い紙にホワイトで

ムラ無く塗る

筆ペンは慣れていないと扱いが難しいが、使い込むとだんだん穂先の動きがわかってくる。すると、細かい描写と広範囲の塗りで使い分けできるようになる。

6. 上品な味わいを出す（万年筆）

　万年筆は、手紙や日記等を書く時によく使われるが、インクのカラーバリエーションが豊富なのでカラーペンのように楽しむ人も多い。万年筆を使ったスケッチも画法のひとつとして確立されている。インクが生み出すにじみや線の強弱によって繊細で上品な雰囲気を演出できるので、スケッチジャーナルでも大活躍だ。できれば、万年筆のインクが乾きやすい紙の手帳やノートを用意しよう。僕が万年筆のスケッチに挑戦したのは、「北欧の風景を万年筆のインクで表現したい」と思ったのがきっかけだった。万年筆のブルーインクの色が、僕が抱く北欧のイメージにぴったりだったからだ。万年筆のおかげで、単色でも味わい深い作品に仕上がることを知り、創作の幅が広がった。

北欧諸国で見たお気に入りのシーンを
48枚のポストカードにスケッチ。万年筆の
インクはロイヤルブルーを使った。上の絵
はポストカードのワンカットである。

万年筆では風景をスケッチすることが
多い。このページの絵は万年筆用の
メモブロック「グラフィーロ メモブロック」(神戸
派計画)を使用した。

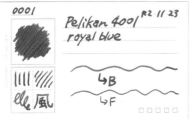

万年筆を書いてカードとしてコレクション
できる「インク試筆カード(リモネールカン)」
はインク情報とともにインクの風合い
や退色チェックを確認できる。

おすすめは、万年筆の筆記特性に合うオリジナルペーパー（グラフィーロ）を使った神戸派計画の方眼ノート「GRAPHILO（グラフィーロ）style方眼」。グラフィーロは万年筆の書き味を重視し、筆記テストを繰り返して完成したこだわりの紙だ。

続ける
技術

102

7. 飾り付けする① （マスキングテープ）

　　マスキングテープは貼って使うテープとしてだけでなく、コレクションアイテムとしても人気だ。スケッチジャーナルにおいては、手帳やノートを賑やかにしてくれる道具のひとつである。柄入りのマスキングテープを使えばポップに、単色のマスキングテープを使えばスタイリッシュな雰囲気になる。手帳本体やページの内容に合う色と柄を選べば、統一感も出せるだろう。他にもフレームや区切り、タイトル等の飾り付けから、ハサミでカットしたサインやインデックス等のナビゲーションまで幅広く活用できる。下の図の見出しも、黄色いマスキングテープを貼って、その上から油性ペンで文字を描いたものだ。

　見た目の可愛さから柄入りを集めがちだが、シンプルなほうが使い勝手はいい。失敗しても貼り直せるのが嬉しい。細かい切り込みはカッターを使おう。

8. 飾り付けする② (折り紙)

　子どもの頃は折り紙でよく遊んだが、大人になってから触れていないという人も多いだろう。しかし薄くて軽く、色も柄もデザインも豊富な折り紙は、折って作品を作るだけでなく手帳やノートの飾り付けにも使える。例えば、濃い色の折り紙を貼ると、その上に白や金・銀、メタリック等のマーカーで文字や絵を描くことができる。他にも、下の図のようにマーカーで塗る代わりに折り紙をモチーフの形にカットして貼ったり、背景色として使ったり。重ねて貼ると奥行きまで表現でき、意外と用途が広い。いずれも、マーカーのように色ムラが出ないのでフラットな印象を出せるのが特徴だ。使いこなせば、スケッチジャーナルの強い味方になってくれる。

○ 引き立て役として

背景にビビットな色

COFFEE FRESH ORGANIC
TEA
CAKE
白・金・金銀用

○ 紙面のカラーとして

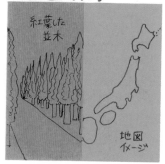

紅葉した並木

地図イメージ

○ 紙面のパーツとして

タイトル
本文

朝　昼
夜　夕

時間の表現

HAPPY BISCUIT LUCKY

折り紙で表現

○ レイヤー表現として

どんどん重ねる面白さ

のり　｜シワなしタイプ｜　← 折り紙にオススメ

折り紙を使えば色を塗る手間が省ける。ハサミやカッターでの切り方、のり付けのテクニックを磨いて、折り紙クリエイティブの面白さを知ってほしい。

続ける
技術

9. 飾り付けする③ （シール・ステンシル・テンプレート）

　イラストを描いたけれど、何か物足りない。そんな時は、シールやテンプレート等の便利ツールを使ってページに少し味付けしてみよう。スケッチジャーナルのもとになった思い出や体験、楽しかった瞬間の気持ちを思い出しながらデコレーションしていく。あくまでも主役はその中にある絵や文字なので、デコレーションはやり過ぎないように注意したい。下の図は、市販のシールやステンシル、テンプレート、消しゴムはんこを使ったパターンや、黒い紙にラメ入りのマーカーでデザインした例だ。もちろん、左下の額縁のように、まわりを囲って華やかにする等、道具に頼るのではなくイラストで主役を引き立てることもできる。

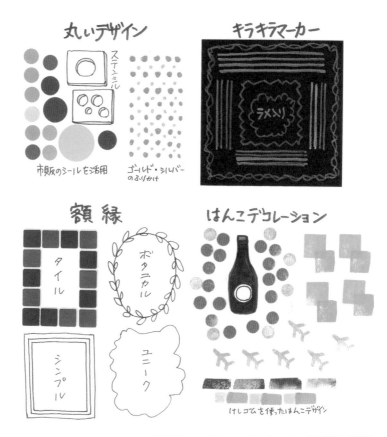

事務用品として売られている丸いシールも、飾り付けに大活躍。
ラメ入りのマーカーは黒い折り紙の上に描いたら映える。消しゴムはんこを均等間隔に押したらテキスタイル柄の完成だ。

10. 飾り付けする④ （スタンプ）

　前項では主役のイラストを引き立てるために使ったが、スタンプ自体を主な構成要素にするのも楽しい。バリエーション豊かな市販スタンプとカラフルなスタンプパッドを使うと、あっという間にページが埋まる。思い切ってデザインを発注し、オリジナルのスタンプを作るのも手。手軽にオリジナルを作りたい場合は、消しゴムはんこの材料を買ってはんこ作りに挑戦しよう。機械でカットされたスタンプと比べると、手作りのはんこは素朴で味わいのある雰囲気に仕上がる。消しゴムはんこ作家によるスタンプの作り方の本もたくさん出ているので参考にしたい。

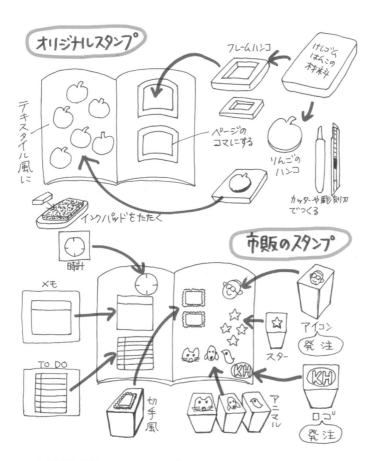

よく描くオリジナルキャラクターや、自分のサイン（ロゴ）のスタンプを発注して作ると繰り返し使えて便利。インクのカラーも数多く出ているので、カラフルに彩ることができる。

11. 失敗を活かす（ホワイトカラー・修正ペン・折り紙）

　できあがった作品を眺めていると、「ここは失敗したな」と思う部分が見つかる。最初からやり直したい気持ちはわかるが、時間には限りがある。だったら、失敗を活かすことができないかを考えてみよう。失敗に上手く対応しながら作品の個性を高めることを、スケッチジャーナルでは「リカバリー」と呼ぶ。

ホワイトカラーで自然に隠す

　ペンやマーカーのホワイトカラーを使うと、上手くいけば自然な仕上がりになる。特に、まわりに描いた絵を同じ種類のマーカーで彩っている場合、なじんでくれる。まずはホワイトカラーでミスをなかったことにできないか、チャレンジしよう。

マンガやポスターの制作によく使われるホワイトカラーのペン。メーカーによって特徴が異なり、インクの種類やペン先の太さで使い分けている。

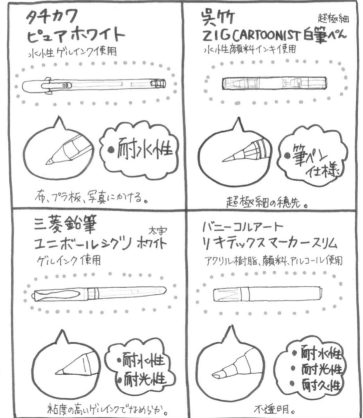

タチカワ
ピュアホワイト
水性ゲルインク使用
・耐水性
布、プラ板、写真にかける。

呉竹
ZIG CARTOONIST 白筆ペン　超極細
水性顔料インキ使用
・筆ペン仕様
超極細の穂先。

三菱鉛筆
ユニボールシグノ ホワイト　太字
ゲルインク使用
・耐水性
・耐光性
粘度の高いゲルインクでなめらか。

バニーコルアート
リキテックスマーカースリム
アクリル樹脂、顔料、アルコール使用
・耐水性
・耐光性
・耐久性
不透明。

紙色に合った修正ペンを使う

　修正ペンははがき用、茶封筒用、特定ノート用等、各種専用のものがあるので、創作に使う紙の色に合ったものを選ぼう。例えば、クラフト紙が使われているスクラップブックやノートで普通のホワイトの修正ペンを使うと、修正箇所が逆に目立ってしまう。以前、文具売り場で茶封筒用の修正ペンを見つけ、クラフト紙に塗ってみたところよくなじんだ。

　修正した部分がなるべく目立たないようにするにはどうしたらいいのか、細心の注意を払おう。最終手段としては、修正液を粗く塗ってあえて雑多な感じを表現したように見せることもある。

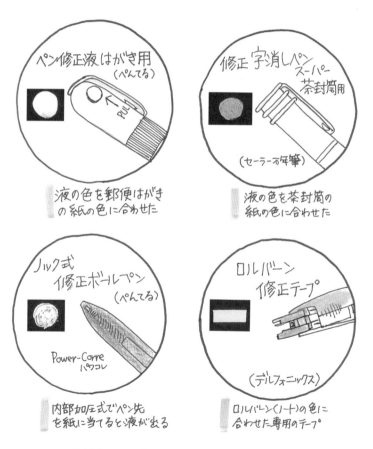

ペン修正液 はがき用
（ぺんてる）

液の色を郵便はがきの紙の色に合わせた

修正 字消しペン スーパー 茶封筒用
（セーラー万年筆）

液の色を茶封筒の紙の色に合わせた

ノック式 修正ボールペン
（ぺんてる）
Power-Corre
パワコレ

内部加圧式でペン先を紙に当てると液が出る

ロルバーン 修正テープ
（デルフォニックス）

ロルバーン（ノート）の色に合わせた専用のテープ

　僕が感動したのは「自社製品の専用修正テープ」を出したロルバーンだ。ロルバーンの紙は独特の黄味がかっているので、普通の修正ペンでは目立ってしまう。

続ける

技術

折り紙を貼って、気持ちを切り替える

　僕はある年の元旦、デイリー手帳に新年一発目の絵日記を描いて思いきり失敗したことがある。そこで、失敗した箇所の上に赤い折り紙を貼るアイデアを思い付いた。手帳の紙と折り紙で紅白になり、「正月らしくなった」と自画自賛したのを覚えている。以来、リカバリーに折り紙も使うようになった。

　ちなみに、その折り紙はテレビ番組で海外の人が折り紙を使って作品を作っているのを見て、「自分は日本人なのに鶴の折り方も忘れている」と思い、購入したものだった。だが、スケッチジャーナルの材料に使ってしまうので今も折ることができない。

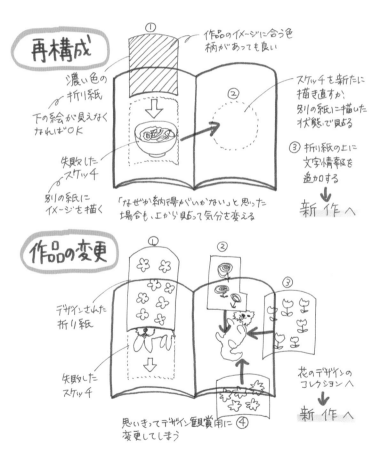

再構成
- 濃い色の折り紙
- 下の絵が見えなくなればOK
- 失敗したスケッチ
- 別の紙にイメージを描く
- ① 作品のイメージに合う色柄があっても良い
- ② スケッチを新たに描き直すか、別の紙に描いた状態で貼る
- ③ 折り紙の上に文字情報を追加する
- 「なぜか納得がいかない」と思った場合も、上から貼って気分を変える
- 新作へ

作品の変更
- デザインされた折り紙
- 失敗したスケッチ
- 思いきってデザイン鑑賞用に④変更してしまう
- ① ② ③
- 花のデザインのコレクションへ
- 新作へ

失敗した箇所に折り紙を貼って、もう一度別のページに描き直す。あるいはいっそ、まったく別の内容にチェンジしてしまう等、やり方はいろいろ。

折り紙以外にも、使い切れずに残ったノートの紙やメモ帳が役に立つ。普段使いで余った紙は、クリアファイルに入れて保管しておこう。ミスの修正や方向転換をしたい時、その紙を上から貼って隠してしまうのだ。本体と同じ紙質だと違和感なく仕上がるので最高だ。本章で紹介しているとおり、スケッチジャーナルでは絵や文字を描くだけではなく、紙素材を貼る作業も立派な創作活動だと定義している。いつか貼るかもしれない材料をコレクションするのも、なかなか楽しいもの。折り紙や余ったノートと合わせて、可愛いデザインの包装紙や包み紙も、ぜひ残しておこう。

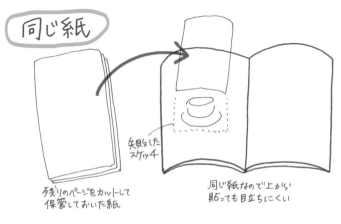

同じ紙

残りのページをカットして
保管しておいた紙

失敗した
スケッチ

同じ紙なので上から
貼っても目立ちにくい

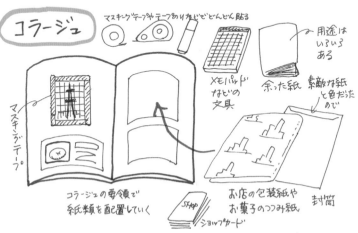

コラージュ

マスキングテープやテープのりなどでどんどん貼る

メモパッド
などの文具

余った紙

素敵な紙
と色だった
のぜ

用途は
いろいろ
ある

マスキングテープ

コラージュの要領で
紙類を配置していく

SHOP
ショップカード

お店の包装紙や
お菓子のつつみ紙

封筒

更新が止まってしまった手帳や使い切れなかったノートは、表紙から中の紙を取り外し、保管して再使用を。ミスを隠す風ではなく、マスキングテープ等で飾ってあえて貼った感じにしてもいい。

続ける技術

創作の幅を広げる編集技術

　スケッチジャーナルを作り始めた頃、全ページを手描きすることにこだわっていた時期があった。完成した時はもちろん嬉しかったし充実感もあったが、時間を掛け過ぎたので非常に疲れてしまった。そこでルールを変更し、手描きだけにこだわらず、紙の素材を貼ったり作品を流用したりしてページを埋めてもいいと決めたら制作も気分もぐっとラクになった。

1. 作品をコピーして流用する

　コンテンツを徹底利用するため、あるスケッチジャーナルの一部を別のスケッチジャーナルに移植してしまうアイデア。例えば旅日記のスケッチジャーナルが完成した場合、そのまま保管するだけではもったいないので作品の一部をコピーし、デイリージャーナルの該当日に貼って再活用してしまおう。それだけで旅をした期間のページが埋まってラクできる。

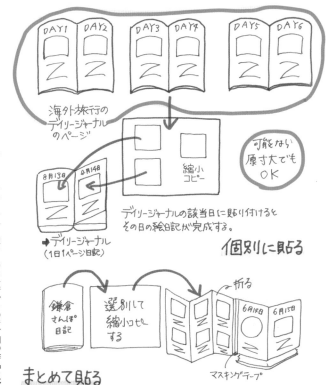

デイリージャーナルを埋めるのは一苦労なので、別の作品を移植できないかと常に考えている。この手法は、該当する日付の記録が別のスケッチジャーナルに描いてある場合に有効だ。

2. 型紙&テンプレートを使う

　型紙やテンプレートを使って、パターンを再現するアイデアもよく使う。円や四角、吹き出し等の製図用・マンガ用のテンプレート商品を利用しよう。自分で型紙を作ってもいい。型紙は形そのものをなぞるタイプと、描きたいパターンの形に中が切り抜かれたタイプがある。いずれも、すべてをフリーハンドで描くよりラクだし、統一感も出せる。例えば、木の葉っぱの形の切り抜きを使って均等間隔に描き続けると、テキスタイルのようなデザインページに仕上がる。足あとや手の平の切り抜きをひとつ作れば、裏返して左右を描くことができて便利だ。コレクションやレビューのスケッチジャーナルを作る場合、1ページのサイズに合わせて紙面テンプレートを作り、デザインを統一するといい。

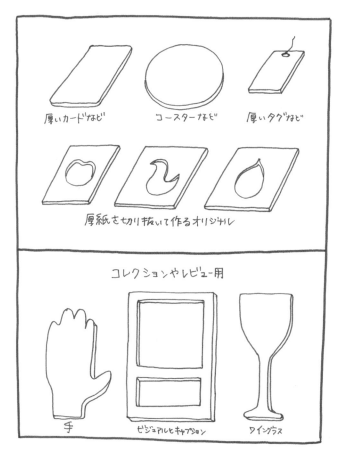

厚いカードなど　　コースターなど　　厚いタグなど

厚紙を切り抜いて作るオリジナル

コレクションやレビュー用

手　　　ビジュアルとキャプション　　ワイングラス

そのまま型紙として使用できる厚紙を常に探してストックする他、使用済みのスケッチブックの表紙も利用し、型紙やテンプレートを自作している。

続ける
技術

112

3. ページを付け足す

　1日1ページのデイリージャーナルでも、記録内容が多い日や発想がどんどん広がっていく時に1ページでは足りないことがある。しかし、記録やアイデアは漏れなく残したい。そんな時は、新たに別の紙を付け足して拡張スペースを作ろう。やり方は簡単で、マスキングテープやセロハンテープを使って貼り合わせるだけ。ページの右端か左端に付け足せば、横に広げて見ることができる。貼ってからだと描きにくいので、合体させる前に内容を埋めておこう。デイリージャーナル以外にも、写真が並ぶ一覧ページを作りたい時や、広い地図を描きたい時に有効だ。

1日1ページ手帳の拡張

11月26日(水)　11月27日(木)

デイリージャーナル

・なるべく本体の紙に近いものを選ぶと自然になじむ
（方眼なら方眼の付け足しページ）

11月27日分の記入スペースが増えた

描く前にネタも整理して始める

フリーテーマのスケッチジャーナル

持っている写真やアイテムのコレクションを集約する場合
（後ろのページもカットしてもOK）

情報の一覧性を保つことができた

ノートに使ったスケッチジャーナル

中の紙に切り取り線が引いてあり、本体から取り外せるタイプもある。同じ紙を使えば、別のページに付け足してもまったく違和感がない。

4. コラージュ作品を作る

　切り抜いた写真を貼ったり重ねたりすれば、コラージュ作品のような仕上がりになる。例えば、モチーフの形に沿ってカットしたり（切り抜き）、モチーフの周りを四角くカットしたり（角版）して、貼っていく方法。切り抜きなら動きが出るし、角版なら安定感のある紙面になる。

　いくつかの写真を重ね合わせて、レイヤー機能のような演出をするのもいい。グラフィックソフトを使ってイラストを描く場合、作業スペースを階層化できるレイヤー機能が便利だ。オブジェクトを重ねたり、効果フィルターを乗せたり、そのレイヤーだけ修正を行うことができる。これをアナログでもやってしまおうというアイデアだ。重ねることで、立体感が出るというメリットもある。

メイン

バック

カット

カット

レイヤーが3つあるような感じ

切り抜き＝動き

角版（四角形）など＝安定

レイアウトが自由
コラージュ風に遊ぶ
シール台紙にプリントするのもOK

コラージュは、フランス語で「のり付け」を意味する言葉。雑誌のデザインを参考にしながら写真を切ったり貼ったりしよう。

続ける技術

5. 再編集&転記する

　過去のスケッチジャーナル作品、ラフスケッチ、アイデアスケッチ等を再編集し、新たな一冊を生み出すのも面白い。例えば、各作品からグルメ情報だけを抜き出し、転記することでグルメをテーマにした新たなスケッチジャーナルを作るといった具合だ。転記することで、かつての線と現在の線を比べて自分の技量を比較したり、オリジナリティの変容を確認できたりする。自分が作り出した作品は眠ってしまいがちなので、時々見返して再編集してみるといい。「描き写す作品がある」という状態は、それだけ創作を続けてきた証拠なので喜ばしいことだ。

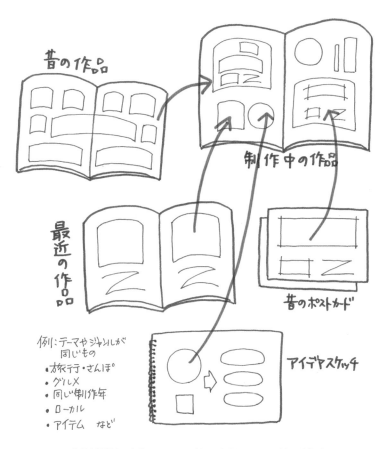

例：テーマやジャンルが
　　同じもの
・旅行・さんぽ
・グルメ
・同じ制作年
・ローカル
・アイテム　など

昔の作品

制作中の作品

最近の作品

昔のポストカード

アイデアスケッチ

作品を横断する気分で、テーマに沿って転記していく。例えば「お気に入りのお土産」や「もう一度、見たい風景」「北欧旅行の思い出ベスト10」といった具合に。

6. 使用済みのページをカットする

　全体の2割くらいページを埋めたけど、テーマに飽きてしまった等の理由でストップし、そのまま放置されているノートはないだろうか？　その場合は使用済みのページをカットしてしまおう。全体のページ数が減るので、残りのページに包装紙やショップカード等、厚みのある素材を貼っても分厚くならない。コラージュやスクラップにおすすめの手法だ。注意したいのは、接着剤で紙が背表紙に付けられている手帳や、糸やホチキスで綴じられているノートがあるということ。その構造に注意しながら、慎重に切り離そう。

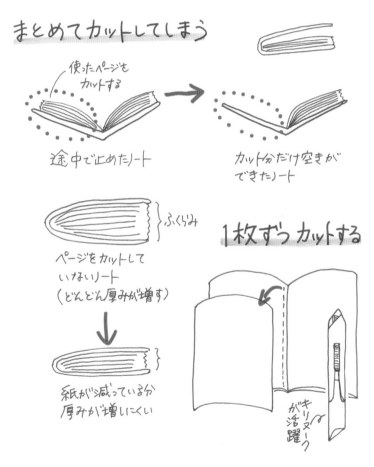

まとめてカットしてしまう

使ったページをカットする

途中で止めたノート

カット分だけ空きができたノート

ふくらみ

ページをカットしていないノート
（どんどん厚みが増す）

紙が減っている分
厚みが増しにくい

1枚ずつカットする

キリヌークが活躍

中の紙を切り取る時は、1枚ずつ丁寧に。98ページでも紹介しているオルファのカッター「キリヌーク」だと力加減に左右されず、上の紙1枚だけ切ることができる。

続ける
技術

道具使い＆編集技術の事例

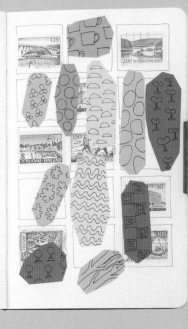

材料を貼る（スティックのり）…… **96** ページ参照

制作：2014年

道具：アートコレクション スケッチブック ラージ プレーン（モレスキン）、ピグメント ライナー（ステッドラー）

背景にマスを描き、フィンランド製の使用済み切手＆ドイツ製の色紙を貼ったコラージュ作品。縦長にカットした色紙に、フィンランドのテキスタイルをイメージした模様を描いた。

紙をカットする（カッター）…… **97** ページ参照

制作：2015年

道具：アートコレクション スケッチブック ラージ プレーン（モレスキン）、ピグメント ライナー（ステッドラー）、ペン68（スタビロ）、ネオカラーI（カランダッシュ）

社会人初期から15年間、勤務地だった東京・渋谷の "思い出のかけら" を、円形フレームの中にスケッチ。大小さまざまなフレームは、厚紙をオルファの「コンパスカッター」で丸くカットした自作の型を使用。

117

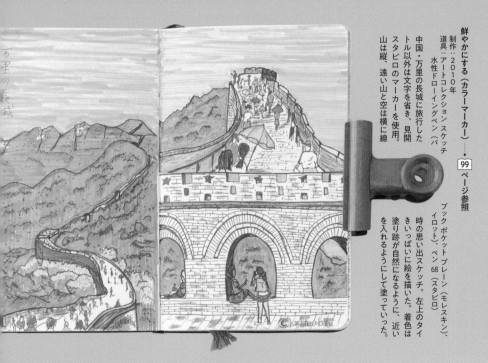

鮮やかにする（カラーマーカー）…… **99** ページ参照

制作：2010年
道具：アートコレクション スケッチ
水性ドローイングペン（パ
イロット）、ペン 68（スタビロ）

中国・万里の長城に旅行した
トル以外は文字を省き、見開
スタビロのマーカーを使用。
山は縦、遠い山と空は横に線

ブック ポケット プレーン（モレスキン、
イロット）、ペン 68（スタビロ）

時の思い出スケッチ。左上のタイ
きいっぱいに絵を描いた。着色は
塗り跡が自然になるように、近い
を入れるようにして塗っていった。

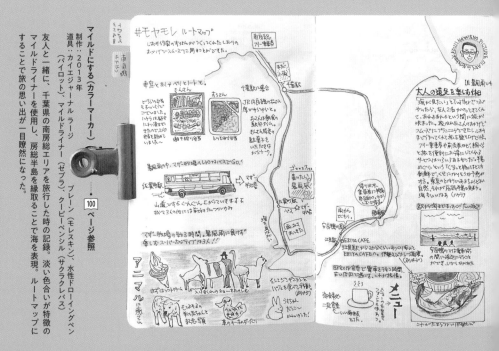

マイルドにする（カラーマーカー）…… **100** ページ参照

制作：2013年
道具：カイエジャーナル ラージ
（パイロット）、マイルドライナー
（ゼブラ）、クーピーペンシル（サクラクレパス）

プレーン（モレスキン）、水性ドローイングペン

友人と一緒に、千葉県の南房総
マイルドライナーを使用し、房総半島を縁取る
することで旅の思い出が一目瞭然に
エリアを旅行した時の記録。
ことで海を表現。淡い色合いが特徴の
になった。ルートマップに

お弁当は芸術作品だ

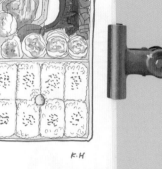

PEN STAEDTLER pigment liner 0.2 1.2
COLOR ZIG CLEAN COLOR Real Brush 24

ハヤテノコウジのグルメスケッチ
一気描き (30分)

K.H

線に表情を出す〈カラー筆ペン〉…… 101 ページ参照

制作：2018年

道具：トラベラーズノートリフィル無罫（トラベラーズカンパニー）、ピグメントライナー（ステッドラー）ZIG クリーンカラーリアルブラッシュ（呉竹）極細毛筆「彩」ThinLINE（あかしや）

グルメをテーマにしたスケッチジャーナル作品。その日に食べたお弁当をスケッチした後に、カラー筆ペンを使って美味しい記憶を再現した。味が濃いおかずはベタ塗りに、白が多いおかずは白地を残して控えめに着色している。

上品な味わいを出す〈万年筆〉…… 102 ページ参照

制作：2017年

道具：TWO-GO ノートブック ミディアム（モレスキン）、ラミー ロゴ ステンレス ヘアライン万年筆（ラミー）

ポストカードに描いたブルーブラックインクの万年筆スケッチを縮小コピーして、未使用のまま自宅に保管していた手帳（2011年版）に貼り付け。北欧をテーマにしたスケッチジャーナルとして再編集した作品だ。

43

飾り付けする〈マスキングテープ〉・・・103ページ参照
制作∷2012年
道具∷アートコレクション スケッチブック ポケット プレーン（モレスキン）、ペン68（スタビロ）

自然を撮影するカメラ愛好家からコスモスの写真を借りて制作。春のイメージに合う柄のマスキングテープを貼り、隙間にコスモスを描いた。ライトブルー×ピンクのインクの組み合わせが爽やか。

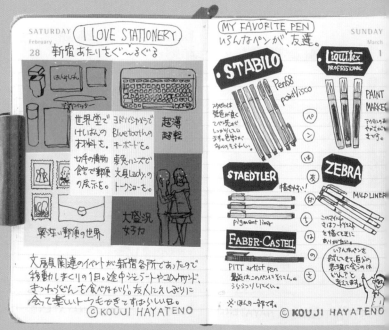

飾り付けする〈折り紙〉・・・104ページ参照
制作∷2015年
道具∷デイリーダイアリー ポケット（モレスキン）、ピットアーティストペン（ファーバーカステル）

5色の折り紙それぞれにペンでスケッチし、盛りだくさんだった1日のトピックスを視覚的に整理した（左）。黒い折り紙を貼り、その上にホワイトペンで愛用する文具の名前を記入（右）。

飾り付けする〈シール〉… 105 ページ参照

制作：2015年
道具：デイリーダイアリー ポケット（モレスキン）、ピットアーティストペン（ファーバーカステル）、クーピーペンシル（サクラクレパス）

大好物の排骨担々麺を食べたトだけでは寂しい紙面だったので、担々麺の具材と同じ色のシールを複数、配置した。まわりに並べることで、フレームのような効果も狙っている。

日のデイリージャーナル。イラスト

飾り付けする〈スタンプ〉… 106 ページ参照

制作：2019年
道具：ロルバーンノート A5 5mm方眼（デルフォニックス）、ピットアーティストペン（ファーバーカステル）

東京の飯田橋・江戸川橋・神楽坂エリアのクリエイターによる展示会に出展した作品。神楽坂エリアの路地裏の風景を、消しゴムはんこで作ったフレームスタンプの中に描いた。ページの外にも空間が続いているようなデザインに。

失敗を活かす（折り紙）……109 ページ参照

制作：2015年

道具：デイリーダイアリー ポケット（モレスキン）、ピットアーティストペン（ファーバーカステル）

2015年に制作したデイリージャーナル、1月1日のページ。描き出した絵が上手くいかず、デイリー1日目からいきなりミスをしてしまったので赤い折り紙を貼ってごまかしました。折り紙の上は、ブラックにゴールドのペンを重ねて文字を書いている。

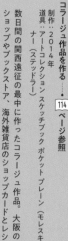

コラージュ作品を作る……114 ページ参照

制作：2014年

道具：アートコレクション スケッチブック ポケット プレーン（モレスキン）、ピグメントライナー（ステッドラー）

数日間の関西遠征の最中に作ったコラージュ作品。大阪のステーショナリーショップやブックストア、海外雑貨店のショップカードとレシートを貼っている。手でちぎって重ねて貼り合わせ、ラフな感じに仕上げている。

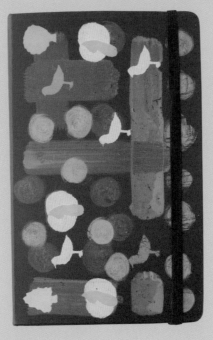

型紙&テンプレートを使う……112 ページ参照
制作：2013年
道具：アートコレクション スケッチブック ラージ プレーン（モレスキン）、A アクリルガッシュ（ターナー色彩）

鳥の形にくり抜いた自作のステンシル用型紙に、筆を使ってアクリル絵の具を落とした。鳥たちのまわりには、同じくアクリル絵の具で木々を描き、黒いハードカバーに森の中で過ごす鳥たちの世界を表現している。

作品をコピーして流用する……112 ページ参照
制作：2017年
道具：デイリーダイアリー ポケット（モレスキン）、イソグラフ（ロットリング）

別のノートで制作したフィンランド旅行記のテーマ型ジャーナルを部分的に縮小コピーし、デイリージャーナルに貼った事例。テーマ型ジャーナルが完成した日付のページに付け足している。作品を並行して作っている時、ネタが連動したら使う手法だ。

続けるためのトラブル解決

1. 障害を乗り越えるためのプロセス

「マンスリージャーナルを1年間、続けよう」。

スケッチジャーナルの進め方を理解し、新たな目標に向かって歩き出すまでは良いのだが、遅かれ早かれあなたのモチベーションを下げる出来事が起き、今まで経験しなかった壁が立ちはだかるだろう。気分を切り替えて壁に立ち向っても、挑戦するたびにはね返されしまう。あなたは疲れ切って茫然と立ち尽くし、嘆くことだろう。「せっかく楽しくやっていたのに、なぜこんなことが起こるのだろうか」と。これは創作活動を続けるにあたって、誰もが経験する局面だ。

ここで分析してほしいのは「なぜ、壁にぶつかるのか」だ。よく考えると、やみくもに壁に向かってもぶつかるだけだから、ジャンプして飛び越える必要があるとわかる。そして、「今の自分にはジャンプ力がない」という弱点が浮き彫りになる。こうして、①弱点を補強し、②失敗を減らし、③問題を解決するプロセスを踏んで、障害をクリアしていく日々が始まる。創作活動に慣れると問題となる壁も低くなり、順調に飛び越える日々が続くだろう。しかし再び経験しなかったような高い壁が現れ、越えられない原因を分析する必要に迫られる。創作活動も人生も、この繰り返しだろう。

スケッチジャーナルにおいて、やっかいなのは「継続するための意欲」を削いでしまう障害だ。しかし、障害の発生は何か軌道修正を必要としている兆候であり、創作活動に転換をもたらすきっかけにもなる。だから障害があったとしても、あなたのチャレンジは有意義だということを忘れずに続けてほしい。

「趣味の創作活動なのに、そこまで真剣になる必要があるのか」「自分の好きにやればいいのではないか」という意見もあるだろう。それはごもっともだが、僕自身の失敗と反省をふまえ、僕は実践者がスケッチジャーナルを継続することにもこだわっている。なぜなら、スケッチジャーナルは創作を楽し

むだけではなく、それを継続させることで自分を知り、自分を好きになり、自己肯定感を高めることを目指しているからだ。みなさんにはスケッチジャーナルを生活の一部にしてほしいし、できればお茶を飲む感覚で毎日、描いてもらいたい。「面倒だからやめてしまった」なんて状態に陥ってしまうのは、なんとしても避けたい。そんなわけで次項からは、僕が会社勤めをしながら創作活動を続け、その中で直面した問題や自分なりの対処法、さらにそれ以外の想定されるケースを挙げていこう。

KEY WORD

<u>弱点を補強する</u>　<u>失敗を減らす</u>　<u>問題を解決する</u>　<u>有意義なチャレンジ</u>

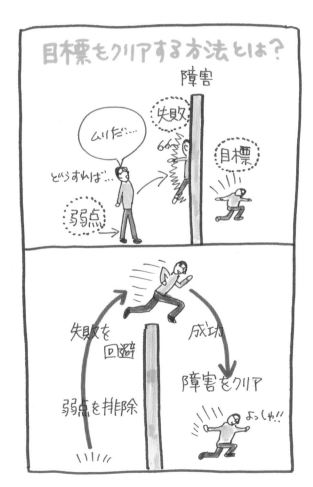

「失敗することは滅多にない」などと思って落ち込む必要はない。むしろ、失敗は成長のための必然なのだから。なぜ、そうなったかを冷静に分析すればいい。

2.「自分に合う道具がわからない」問題

　僕のスケッチジャーナル講座では、最初に受講生たちの参加理由や悩みを聞いているが、特に多いのは道具選びの悩みだ。例えば「普段からメモを取る時に使う水性ボールペンで描いているが、なかなか思うように描けない」と言う人がいる。実際、筆記に適した水性ボールペンや、書き味の重い油性ボールペンを使って絵を描くのは難しい。その特性を活かしたボールペン画を極める人もいるが、僕は、絵を描くのに慣れていない初心者には、描画に適したドローイング用のペンを使うように勧めている。

　多くの人は「家にこのペンがあったから」「子どものおさがりで」等、自分が選んだわけではない道具を、なんとはなしに使っている。「使いにくいけれど、もったいないから」という話も何度か耳にした。しかしそれでは自分の思うように描けず効率が悪いし、スケッチジャーナルを楽しむことができない。自分のイメージを実現してくれる、創作スタイルに合った道具をそろえたいところだ。そのためには、やはり雑貨店の文具コーナーや画材店に行き、いろいろなペンを試し書きして手のフィット感や書き味をチェックするべきだろう。手帳やノートも、手に持った時のサイズ感や紙質も意識して選びたい。

　道具選びは悩むものではなく、スケッチジャーナルの楽しみのひとつにしてほしい。形から入って、お気に入りの文具を使うために創作を始めるのもいい。一目惚れした手帳やノート、筆記具を見つけたらぜひ手に入れよう。商品のコンセプトやデザイン等、あなたが惹かれた理由から創作のアイデアがひらめくかもしれない。自分に合う道具を見つけたことで生まれる創作のモチベーションも侮れない。創作の時間を共にする、あなたにぴったりの相棒を見つけよう。

KEY WORD

道具選び
一目惚れした道具
惹かれた理由
創作のモチベーション
創作の時間を共にする相棒

続ける　意識改革

3.「自分らしさが出ない」問題

　描き慣れていない頃から、無理に「オリジナリティを出そう」と意識しなくていい。まずは、自分の心に響く芸術のエッセンスを見つけて真似するのもいいだろう。それは描きたいモチーフや取り組みたいテーマかもしれないし、イラストレーターや画家、アーティストの作品、あるいはクリエイター本人の生き方かもしれない。「この雰囲気が好きだ」と思えるエッセンスをどんどん吸収していこう。

　吸収する際に意識したいのは、「なぜ、自分がそれに惹かれるのか」だ。例えば、あるイラストレーターの可愛いタッチが気になるなら「なぜ、可愛いと感じるのか」を意識し、描き方を研究しながら模写する。理由を考えながらたくさん描いていくうちに、「可愛い絵の在り方」を自分なりに導き出すことができるだろう。描き慣れてきたら、憧れの絵のイメージが頭と手に残っているうちに、今度は模写せずに描いてみる。その際は、自分なりに解釈した可愛いと感じるテイストを意識しよう。

　こうして、良いと思えるエッセンスを吸収し、自分なりの解釈を加えながらその再現性を高め、そしてようやく自分流の型ができていく。オリジナルは、決してゼロから生まれるものではない。あなたの憧れの人だって誰かの影響を受け、意識的に、あるいは無意識的にインプットしている。影響とは、憧れの人から受け継ぐ創作のエネルギーのようなものだ。

　好きな雰囲気を再現できるようになると「描けた」という充実感に満たされ、気分が良くなってモチベーションも継続する。そうやって描き続けることが、オリジナルを確立する一番の近道だろう。

KEY WORD

芸術のエッセンス

惹かれる理由

自分なりの解釈を加える

憧れの人から受け継ぐ創作のエネルギー

オリジナルを確立する

4.「技術が足りない」問題

　創作活動は自分のペースで進めてほしいが、初期段階では「絵を描く技術を早く身に付けたい」という欲求が強くなるかもしれない。それに応えるかのように、絵を描くためのテクニック本は書店にたくさん並んでいるし、SNSでは多くのプロたちが自身のテクニックを披露している。しかし情報が多過ぎるため、何から参考にしたらいいのかわからなくなってしまう。

　実際、「絵を描く技術」と言っても範囲は広く、それらをすべて試すのは難しいし、画法について一から学ぶ時間もないだろう。だからこそ、現段階で自分ができることを駆使してスケッチジャーナルの制作に取り組んでほしいのだ。手帳やノートに自分が決めたテーマを描き続ける行為は、それ自体がトレーニングでもあり、自分の技術レベルを確認する良い機会となる。

　例えば、ファッションをテーマにスケッチジャーナルを作ろうとすると、体や服を描く必要が出てくるだろう。しかし体の描き方を知らないし、どのようにスケッチすれば服の特徴が出せるのかもわからない。そこで初めて、書店や図書館のイラスト技法書コーナーに行って、体や服の描き方が載っている文献を手に入れればいい。自分なりの制作プロセスが固まるまでは、こうして必要な技術をひとつずつ加えていくといいだろう。

　それでも「絵を描く技術には何が必要なのか」を総合的に知りたい方には、『絵はすぐに上手くならない』(成冨ミヲリ著、彩流社刊)を勧めたい。同書では自分の創作スタイルの適性を見つけ、それに向かって何を鍛えればいいのかを具体的に示している。自分が目指したい創作タイプを見極め、「足りない技術」を確認しながら絵の上達を図ることができるので参考になる。

KEY WORD

創作自体がトレーニング
技術レベルを確認する
必要な技術をひとつずつ加える

続ける　意識改革

5. 「やる気が出ない」問題

「なんだか、創作する気になれない」。

　そんな気分の日は、無理して描かなくたっていい。僕も週末は描こうと思っていたのに、「やっぱり外に出て散歩したい」となったら出掛けてしまう。しかし、スケッチジャーナルの活動が暮らしに組み込まれた現在は、「気分の波に逆らわない」「描きたい時に描けばいい」という気持ちで対処できているので「描けなかった」と落ち込むことはないし、創作をやめようなんて思わない。ただし、思い付いたアイデアの記録やスナップショット、寝る前の三行日記（20ページ参照）は忘れないようにしている。あなたも、描きたい気持ちが芽生えた時や、阻害要因がない日に描けるよう準備しておこう。

　どんな時に「描きたい気分」ではなくなったのか、阻害要因がわかれば意欲を取り戻す手掛かりを得たようなものだ。疲れてしまい、何も考えたくなかったのだろうか。あるいは、「新しい趣味ができた」「恋人ができた」「サークルに入った」等、別の楽しみができた時にも創作気分は弱まるだろう。しかし環境や立場が変わっても、絵を描いている人たちはたくさんいる。共通点は、やはり無理をせずマイペースに創作活動を続けていることだ。

　もしかすると、誰かの絵と比較して「自分の絵はダメだ」と萎えてしまったのかもしれない。僕は絵に限らず、すべてにおいて「他人との比較をやめる」ことを推奨しているが、ライバルを設定するのは良い。僕も、密かにライバルだと思っているクリエイターが何人かいる。なぜかわからないけれど、その人の創作活動は気になってチェックしてしまう。そのうち彼らの活動や作品に感化され、情熱のエネルギーとなって「自分も描きたい」と創作意欲が高まるのだ。

KEY WORD

気分の波に逆らわない
描きたい時に描けばいい
マイペースに創作を続ける
ライバルに感化される
創作意欲が高まる

6.「スランプに陥った」問題

　今までスムーズにスケッチを続けてきたのに、なぜか突然、描けなくなった。線が安定しない、文字がぶれる、自分の絵に納得できない。そんなもどかしさを感じるシーンが増えても、不安や焦りを覚える必要はない。スランプは、あなたが成長している証拠なのだから。

　描けなくなった時、僕は「成長の自動化プログラムが働いている」と捉えて無理に続けようとはせず、「描かない」ことに意味を見出すようにしている。余白を楽しむ感じで、ノートとお気に入りのボールペンだけを持って散歩に出掛けたり、ひたすら海を眺めたり。別のことをしているうち、創作のヒントになる情報が入ってきたり、アイデアが浮かんだりして、「描きたい」と思う気持ちがジワジワと戻ってくる。

　自分の経験上、描けなくなったタイミングを分析すると「うっかり他人の活躍と自分を比較してモヤモヤしてしまった」等、何らかの心理的・物理的な要素が影響していることが多い。しかし、そうやって原因を考えれば、「決して自分が限界に達しているわけではない」と気が付き、意外と割り切ることができる。

　スランプに陥った時、ぜひ読んでほしいのが、みうらじゅんさんの著書『さよなら私』（KADOKAWA刊）だ。この本に記された数々のキーワードがどれもこれも秀逸で、僕も困った時に読み返して軌道修正している。せっかくのスランプ、あなたも思考を切り替えるチャンスだ。

ーみうらじゅんさんの言葉ー

不安タスティック	良いこと予測	比較三原則
不安になったら使う	悪いことがあったら良いことがある	過去の自分、親、友人や知り合いとの比較をやめる

グレート余生	得した!!	僕滅運動
自分にどんなキャッチフレーズをつけるか	損した!!と思ったら使う	「さよなら私」と唱える

7.「集中力が続かない」問題

　絵を描き始めると、「いつの間にか時間が経っていた」という経験はないだろうか。集中して作業に没頭できる状態は創作活動に限らず、知的な時間を過ごすための必要条件だ。創作に打ち込むことによって覚える、爽快さ・充実感・疲労が混ざり合った感覚。これを、ぜひ味わってもらいたい。

　雑音を聴きながら集中するという人もいれば、耳栓をしたり好きな音楽を聴いたりして周囲と遮断する人もいる。僕はノイズキャンセリングヘッドフォンをセットして、音楽を聴きながら作業を行う。聴く音楽は、歌詞が入っていないインストゥルメンタル。アンビエントやテクノ等の電子音楽に乗りながら描く時もあれば、雨や滝、波といった自然界の音を聴きながらゆったり描く時もある。音楽関係なく、線や円、簡単な図形のドローイングをしばらく行うことで、いつの間にか夢中になることも多い。自分が思ったとおりにペンが走り、ドローイングが滑らかに進む状態──そうなったら手帳を開いて、本題の創作に移行する。

　創作スイッチを切らさないよう、「途中でやってしまう別の行為の排除」も重要だ。例えば絵を描きながら途中でSNSや動画を見ると、そっちに気を取られるということがよくある。そのため、作業中はスマートフォンの液晶画面をテーブルに向け、通知を見ないようにしている。それでも集中力が切れそうになったら深呼吸。鼻から吸って口から吐く。吸うより吐くほうを長めにして、自分の息の音に集中。息を吸っている時は交感神経が、息を吐いている時は副交感神経が活発になる。呼吸に意識を向けながら、体をリラックスさせていく。呼吸法を使って瞑想を行うと幸せホルモンのセロトニンが増え、副交感神経によって冷静に対応できる状態になるという。

　自分への語りかけも効果的だ。地球上の生物で、「過去」や「未来」について考えるのは人間だけで、動物たちは「今」を生きているという。言葉が過去や未来を生み出したのだ。だから僕は、スケッチジャーナルにしばらく取り組みたい時、心の中で「絵を描く今、この瞬間を楽しもう」と呟いて創作モードに入る。

KEY WORD

知的な時間を過ごす　　創作スイッチを切らさない　　今の瞬間を楽しむ
創作モードに入る

8.「自分時間が取れない」問題

「この週末はじっくり創作に取り組もう」と計画していたのに、土日ともに家の用事を頼まれてしまった。調子良く絵を描いていたら、家族から「買い物に付き合ってほしい」と言われ、途中で止めてしまった。こうして自分時間が取れずにいたら、いつの間にか創作活動から離れてしまったという人もいるかもしれない。

スケッチジャーナルは自分のための余暇活動なので、身近な人との時間の使い方の調整は必要になる。1か月前や1年前なら、普通に家族と過ごしていたところに、「創作に取り組むための自分時間」が加わったのだから当然だ。しかも、人によって「今日は何がしたいのか」が異なるのがやっかいだ。同じ星座生まれの集会ならば、今日は「クリエイティブな作業をすると良い」という占い結果に基づき、みんなで同じ行動ができるかもしれない、なんて考えてしまう。

まず身近な人には、「スケッチジャーナルに取り組みたい」と意思表示することを勧めたい。その上で、相互に家事や仕事を協力し合い、日頃からコミュニケーションを通じて折り合いを付ける必要がある。例えば子育て中の友人は、パートナーが子どもの面倒を見ている時間にスケッチジャーナルを描いたり、家族で創作タイムを作って一緒に楽しんだりしている。

家族だけでなく、一緒によく遊ぶ友人や恋人ともスケッチを描き始めた経緯と目標を共有しておこう。もしかしたら、相手もスケッチジャーナルに関心を持ち、ネタ集めに協力してくれるかもしれない。そうやってまわりを巻き込むのも手だ。

KEY WORD

自分のための余暇活動
意思表示をする
始めた経緯と目標を共有する
まわりを巻き込む

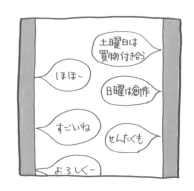

続ける 意識改革

9.「描く場所がない」問題

　スケッチジャーナルをライフワークにするには、絵を描く場所が必要だ。家で描くのか、外で描くのか。家の場合は自室があれば最高だが、そうでない場合は家族がいるリビングになる。僕の講座で、料理が好きでキッチンが自分の城だという受講生がいる。料理をしながらワインを嗜み、レシピのアイデアや作ったメニューのスケッチをノートに描いているそうだ。子どもと一緒にリビングでスケッチを楽しむ人や、友人とカフェのテーブルで一緒に描くのが楽しいという人もいる。入浴中、バスタブに蓋をし、それをテーブル代わりにして絵を描く人も（実は、僕も時々やっている）。

　カフェだとノートを広げられる範囲は限られるが、雑音が入ってくるほうが集中できる場合もある。僕もカフェに籠もって、スケッチジャーナルの数ページを描き上げたことが何度もある。外で描くために、自分のツールを選別したスケッチセットを用意するのもおすすめだ。このセットは旅行中も大活躍し、ちょっとした休憩が最高の創作タイムになる。

　僕が出会った中では、場所や時間が限られている人ほど描くことが義務にならないよう注意しながら、創作を暮らしに取り入れている。家族の成長記録をスケッチしている女性は、子どもが学校や塾に行っている時間にダイニングで。平日は仕事がめいっぱい入っている若者は、休日のコーヒータイムに。仕事も遊びもバランス良くこなす女性は、就寝前に自室で。いずれにせよ、自分がほっと落ち着ける場所とタイミングが、最も集中できてワクワクするスケッチタイムを過ごすのにふさわしい。僕は自宅で描くのなら、深夜の1時から早朝の6時くらいまでが、一番好きな創作タイムだ。本音を言うと時間を気にしないで、飽きるか疲れるまでただひたすら描いていたい。

KEY WORD

休憩が最高の創作タイムになる
創作を暮らしに取り入れる
落ち着ける場所とタイミング
集中できてワクワクする

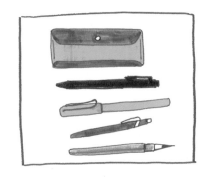

ハヤテノ門下生に聞くチャレンジ体験記

デイリージャーナル

実践者：yuko（ユウコ）さん

職業：会社員　Instagram：@sweetie347
愛用道具：アートクリエーション スケッチブック（ターレンス）、水性サインペン リブ（三菱鉛筆）、スーパープチ 細字（パイロット）、各種メーカーの色鉛筆他

Ⓗ=ハヤテノコウジ、Ⓨ=yuko さん

Ⓗ yukoさんは、2019年に僕のスケッチジャーナル講座に参加していただきましたよね。

Ⓨ はい。講座を受ける少し前から水彩画の教室には通っていましたが、「スケッチ以外のことをやりたいな」と思って。

Ⓗ 講座はどうでした？

Ⓨ それまで「ものすごく頑張らないと絵は描けない」と思っていましたが、ノートという身近なツールに自分の身の回りの出来事を絵と文で記録するという気軽なスタイルで、自分の中で絵を描くことのハードルが下がりました。

Ⓗ 今はどんな内容を描いていますか？

Ⓨ 歩いている時に見つけた花や購入した雑貨、読んだ本、普段の食事など本当に何気ないもの。コンビニで買ったお弁当でも絵になりそうならOKと思って写真に撮っています。描き始めてから、「これは描けるかな？」「これは絵になりそう」というふうに、普段の生活でモノを見る目が変わってきたなあと思います。

Ⓗ 習慣化していますね！　記録するため

左ページの左上＆右下は、Excelで格子柄を作ってシール用紙に印刷したもの。手でちぎって貼り、手作りの風合いを出している。右ページの下段は、北欧の素材集の好きな柄を模写してスペースを埋めた。

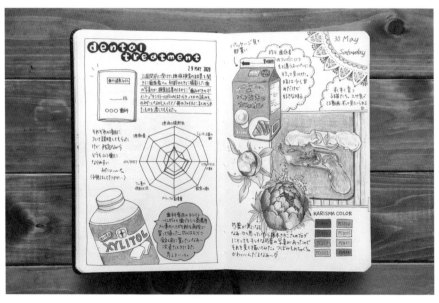

「以前なら、歯医者に行った時の記録は絵日記のネタにできませんでしたが、検査結果のグラフを描いていい感じに1ページ埋まったので、我ながら成長を感じました（笑）」と、yukoさん。

に、改めて自分の暮らしや行動に関心を持つようになりますよね。今まで意識していなかった気付きって、本当に多いと思います。

Ⓨ はい。「私ってこんな部分を持っていたんだな」「自分がこれを好きだとは思っていなかった」等、自分の「好き」を再確認し、新しい自分を発見できるツールだなと感じます。

Ⓐ デイリージャーナルを続けるにあたって、工夫していることや定着しているスタイルはありますか？

Ⓨ 下書きするとなかなか満足できずに描き直しを繰り返してしまうので、ややこしくないモチーフはペンで一発描きしています。スペルミスがないように、月と曜日は英語表記で数種類のフォントを使ってパソコンで打ち、印刷した

ものをノートに挟んでいます。他にもsweetやbook等、カテゴリーに分けて枠で囲んだり、自分の頭だけで考えるのではなく、雑誌のレイアウトを参考にしたり。

Ⓐ ノートの紙面から、いろいろ工夫しながらも楽しんで制作されているのが伝わってきますね～。

Ⓨ 「一番、面白い読み物は自分の日記」ということを何かで読んだのですが、本当にそのとおりだなと。自分のための、自分だけの記録帳ができるという体験はワクワクしますし、気持ちがときめくようなお気に入りのノートを使うと見返した時に充実感でいっぱいになります。

Ⓐ 嬉しい感想ですね。ぜひ、これからも毎日の創作活動を楽しんでください。

創作のために、日々の暮らしの中でネタを吟味しながら「1人編集会議」を実践されている点が素晴らしいですね！

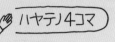

レイアウトの一例。継続のコツ ハヤテコウジより

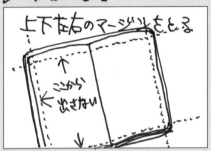

上下左右のマージンをとる

↑ ここから
← むさない
↓

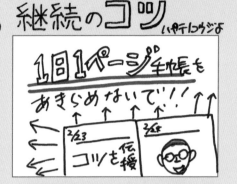

1回1ページ班長を
あきらめないで!!
↑ 2/23 ↑ 2/25 ↑ ↑
← コツを伝授 👤
← ←
←

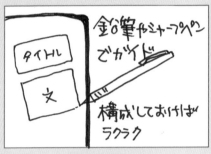

| タイトル |
| 文 |

鉛筆やシャープペン
でガイド

構成しておけば
ラクラク

材料 → 考える → ネタ

自分の流れ
をつくろう。

← ノートのいろツはそろえる

整列 したり

ランダムにしたり

小さい絵からコツコツと

たのしいヒトコマ

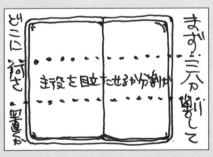

まず三分割して

どこに荷さ・置くか

主役を目立たせるか分割して

失敗を

リカバリー

乗りこえる
テクニック有

Sketch Journal

極める
テーマ型チャレンジ

実 践
ワンテーマでノート1冊分を埋め、世界にひとつだけの作品を作ろう。

意識改革
スケッチジャーナルを経て創作に目覚めたアマチュアの人たちが
クリエイターへの道を目指すためのプランニングと事例。

Sketch Journal ··········

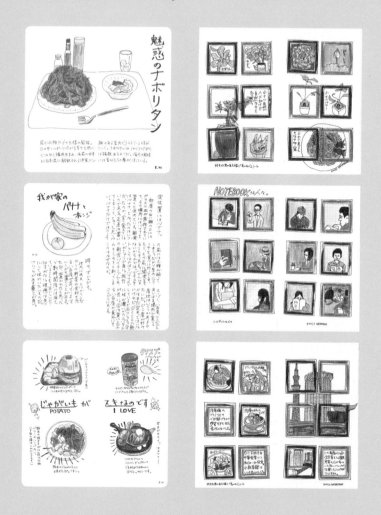

テーマ型ジャーナル

最終ステップで挑戦するのは、自分の好きなテーマで作る「テーマ型ジャーナル」だ。
ポケットサイズのノート1冊分を使って、個性が際立つ世界にひとつだけの作品に仕上げよう。
1冊、2冊、3冊と作り続けることで、
自分の内面を解説してくれる分身のようなコンテンツが増えていくだろう。

豊島区
西池袋二丁目
31

Toshima-ku
Nishi-Ikebukuro
3-31

ボクは実は「住居表示」がグッとくる人

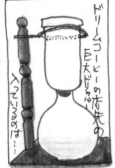

ドリームコーヒーの店先の
巨大ドリップ？
入っているのは…

300B
青春の思い出…

池袋西口公園の
黒いオブジェからスタート

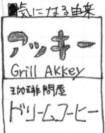

気になる由来
アッキー
Grill Akkey
珈琲問屋
ドリームコーヒー

築地海鮮のお店。すしまみれ。

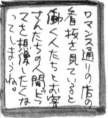

ロマンス通りの店の
看板を見ていると
働くんたちと赤字
すんたちの人間ドラ
マを想像したくな
ってしまいますね。

立教大学 5号館前　母校です
いいね〜大学いいね〜

カレーは飲み物。

ちょうど昼の部のカ
レーが売り切れた
ときに前を通る。
閉17:30

かつて楽しい大学生活も過ごした
池袋も久しぶりに歩くスケッチ散
歩の午後。小雨ぱらつきながら
も好奇心にヒットするモチーフも
たくさん見つけたよ。街の変
イ化も発見した散歩だった。

97

1冊分の
「テーマ型ジャーナル」

1. 好きなテーマでノート1冊を埋める

　僕のスケッチジャーナル講座では、全5回の基本編を終えた方の次なるステップとして、自分の好きなテーマで1冊分作るチャレンジを推奨している。例えば、南米旅行の思い出をドローイングだけで表現し、シンプルに仕上げた人。帰省を自分の故郷への取材旅行と位置付けて、地元の見どころやグルメを集めた人。家にある豊富な雑貨を整理しながら、自分のアイテムブックを作った人。大学院での研究内容を絵とテキストでまとめた人。さまざまな独自コンテンツがノートにまとまり、個性が際立つ世界にひとつだけの作品に仕上がっている。

　デイリージャーナル（82ページ参照）では「今日の出来事をどのようにまとめようか」という編集的なアイデア思考を持つためのトレーニングを紹介したが、テーマ型のスケッチジャーナルはその応用編であり、雑誌で言えば「特集を組む力」が必要になる。つまり今日という1ページで完結するのではなく、ノートの始まりから終わりまで全体の流れを考えつつ前後ページの繋がりも意識する、総合的な編集技術が求められる。

ひとつのテーマにしぼって、情報のかけらを1冊に集める。どの情報を選び、どこに配置し、どのように表現するか。そのチョイス一つひとつに個性が現れる。

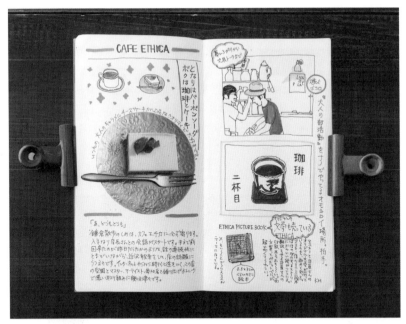

鎌倉半日旅行
制作：2017年
道具：トラベラーズノート リフィル 無罫（トラベラーズカンパニー）、イソグラフ02（ロットリング）、リキテックス
マーカー スリム（バニーコルアート）、マイルドライナー（ゼブラ）、極細毛筆「彩」ThinLINE（あかしや）他

1冊まるごと、梅雨時の鎌倉散策の思い出をまとめたテーマ型ジャーナル。写真は、小町通り
の奥にあるカフェでの時間をスケッチしたページ。切り抜き写真も貼ってメリハリを出している。

2. ポケットサイズ&ページ数が少ないノートを使う

　まずは確実な完成を目指して、ポケットサイズでページ数が少ないノート
を手に入れてほしい。僕の講座で使っているのは、ミドリの「MDノート ライ
ト 文庫」。48ページの文庫サイズで、横罫・方眼罫・無罫の3種類あり、自
分の好きなフォーマットが選べる。種類によって、アイデア出し用、ラフスケッ
チ用、本番用と使い分けてもいい。いずれも筆記に適したメーカーオリジナ
ルの用紙を使い、万年筆で書いても裏写りやにじみが少ないのが特徴だ。

　トラベラーズカンパニーの「トラベラーズノート パスポートサイズ」を持っ
ている人は、ノートカバーにセットできる「トラベラーズノート パスポートサイ
ズ リフィル」でもオーケー。こちらは64ページだ（一部商品を除く）。僕はモ
レスキンの「カイエジャーナル ポケット」も使っている。3冊セットで各64ペー

ジ、後ろの16ページは切り外しができる。

　文具ファンにはおなじみ、コクヨの「測量野帳」は上質紙が80ページあるのでややハードルが上がってしまうが、最初の20ページをアイデア出しに、残りの60ページを本番に使うのもあり。もちろんこれらの商品に限らず、自分が保有するノートでもいい。あなたは文字が書きやすい横罫、万能の方眼罫、自由度の高い無罫のどれが好きだろうか。自分が使いやすいと思う商品を選んでほしい。

時計回りに、モレスキンの「カイエジャーナル ポケット」、ミドリの「MD ノート ライト 文庫」、コクヨの「測量野帳」、トラベラーズカンパニーの「トラベラーズノート パスポートサイズ リフィル 画用紙」（画用紙は 32 ページ）。いずれもコンパクトで薄く、持ち歩きがしやすい商品だが、テーマ型ジャーナルにももってこいだ。

3. ページネーションを考える

　1冊チャレンジに使うノートを手に入れたら、次にテーマを決め、それぞれのページに何を配置するかを考える。計画を立てるのは面倒だと思うかもしれないが、着実に進めるには欠かせない、むしろ一番念入りに行いたい作業だ。実際、僕のスケッチジャーナルの作業を時間配分すると、計画が6割、材料集めが2割、制作が2割となっている。

　このプランニングは、本作りで言えばページネーション（ページ割）を決める作業に当たる。自分が編集長になったつもりで前後のページの繋がりや、始まりから終わりまでの流れ等、全体のバランスを考えて構成しよう。「1部・2部・3部」や「序論・本論・結論」といった感じで、いくつかのカテゴリーに分けると情報を整理しやすい。

　構成を考える際、僕は次のページに掲載しているエクセルデータの表と、それをビジュアル化したプランシートの2種類を用意している。表を作成すると作品全体の流れがつかみやすくなり、それをビジュアル化すればより把握できるだけでなく、「どのような材料を集めたらいいのか」、制作時の道しるべにもなる。本作りで言えば、あらかじめどのような情報や写真が必要なのかを考えておけば、取材や撮影がスムーズに進むのと同じことだ。

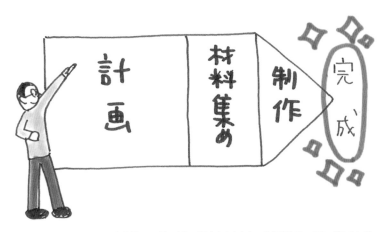

何をどこに、どのように埋めるのかをしっかり考える。プランが決まれば、必要な材料を一気に収集＆整理。これらの作業を行うのは、ページを埋めるという単純、かつわかりやすい目標達成に向けて没頭するためだ。

タイトル	スケッチジャーナル鎌倉散歩	
ツール	トラベラーズノート リフィル 無罫（トラベラーズカンパニー）、イソグラフ（ロットリング）、ペン 68（スタビロ）	

ページ	ページタイトル	内容
表1	表紙	消しゴムはんことマスキングテープで梅雨時の雰囲気を表現
表2	表紙裏	鎌倉で撮影した紫陽花の写真（切り抜き）を貼り付け
1ページ	鎌倉駅のスタンプ	JR鎌倉駅の改札付近で押したスタンプ
2ページ 3ページ	鎌倉の地図	鎌倉の地図（配布されていた無料パンフレット）
4ページ 5ページ	鎌倉グルメスケッチ	散歩中に食べた鎌倉グルメのスケッチ、手書き文字
6ページ		
7ページ 8ページ 9ページ	海のフォトグラフ	由比ヶ浜海岸、材木座海岸で見たお気に入りのシーン 写真をプリントアウトして貼り付け
10ページ 11ページ	居酒屋タイム	居酒屋さんでの食レポ
12ページ 13ページ	鎌倉の街角写真	鎌倉の通りの写真
14ページ 15ページ	カフェタイムのスケッチ	鎌倉のカフェでのひととき
16ページ	大仏ポストカード	鎌倉の文具店で買ったポストカードを貼り付け
17ページ	切手風スケッチ	折り紙を切手風にカットしてスケッチ
18ページ 19ページ	鎌倉ピープル	散歩中に見掛けた人々をスケッチ
20ページ 21ページ	風と音と青い空	材木座海岸で海を眺めていた時に思い付いたエッセイ
22ページ 23ページ	紫陽花スケッチ	散歩中に見掛けた紫陽花を元にしたスケッチ（消しゴムはんこ）
24ページ 25ページ	ショップカード	立ち寄ったお店のショップカードやレシートを貼り付け
26ページ	観葉植物スケッチ	花屋さんで見掛けた観葉植物のスケッチ

ページ割の表（一部）。まず、キャンバスとして選んだノートのページを数え、表を作る（僕はエクセルデータを使用）。カテゴリーごとの分量をだいたい決めたら、各ページに入れる要素を書いていく。情報が混ざるとわかりづらいので、タイトルと内容は分けたほうがいい。

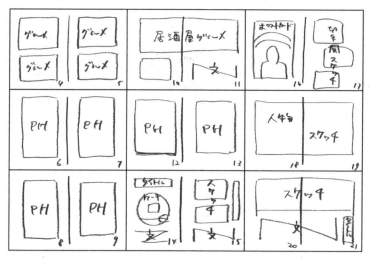

表をビジュアル化したプランシート。テキストは線、絵や写真は四角で表現し、ざっくり描いていく。全ページを同じレイアウトにすると飽きてしまうので、カテゴリーごとにページの分割数（84 ページ参照）や情報量、使う道具や素材を変えるといい。

極める

実践

4. 取材&撮影して材料を集める

　全体の紙面構成が本作りで言うページネーションなら、絵を描くための写真素材や文章を書くための資料等の材料集めは「取材」や「撮影」に当たるだろう。この収集作業も創作活動の一部なのだから、そのプロセスも楽しみたい。

　テーマ型ジャーナルの情報収集のために、1日がっつりスケッチ散歩（93ページ参照）する場合はスマートフォンの他に、デジタルカメラやICレコーダー、筆記しやすい文具を携帯するといい。撮影や録音は、必ず持ち主の許可をもらった上で行うこと。とはいえ、そこまで大げさに情報を集めなくても、普通に散策しながら気になるものを撮影&録音するレベルで十分だ。材料が集まったらそれらを分類し、いつでも参照できるように整理整頓する。写真素材であれば、食べ物・動物・人物・植物・ツール・エリア名・テーマ名等のフォルダに分類して入れておこう。文字情報はメモ帳やスマートフォンのメモアプリに入力していた情報を、収集用のノートにまとめる。

　以前、実施したスケッチジャーナルのイベントでは、参加者と東京の『銀座三越』の入り口で待ち合わせし、みんなで銀座を散歩してネタを集めた。その後、予約していたカフェで美味しいデザートと珈琲をいただいた後に、スナップショットやメモをもとにスケッチジャーナルを制作。材料集めの時間を誰かと共有することは、自分が見落として別の人が拾っていたネタの情報を交換したり、自分にはない視点が参考になったりするので最高に楽しい。

同じコースを歩いたのに、参加者それぞれが「面白い」と感じて切り取る対象が異なるのが興味深い。スケッチジャーナルに個性が現れる所以だ。

5. 3か月間で完成させる

　材料が十分に集まったら、144ページで紹介した表とプランシートを確認しながら紙面を絵や文字、写真、スタンプ等で埋めていく。レイアウトは鉛筆やシャープペンシルを使って、配置や輪郭等のガイドを薄く描くと進めやすいが、細部や文字の下書きまではせず思い切ってペンで描き始めよう。下書きが細か過ぎると時間が掛かってしまう。消せるボールペン（34ページ参照）は広範囲で使うのには向いていないので、この場合はおすすめしない。間違えたらホワイトカラーを使うか（107ページ参照）、別の材料や紙で隠せばいい（110ページ参照）。あくまでも自分のための創作なのだから、「きれいに仕上げよう」と気負うのではなく、軽い気持ちでポジティブに制作しよう。作業日記用のノートを作って制作過程を記録しておけば、次回作に向けて改善や効率化に繋がるヒントが残る。

　1冊チャレンジの作品は、約3か月間で完成させることを目標にしよう。1か月でテーマとページネーションを考え、次の1か月で材料を集めて最後の1か月で制作するイメージだ。あえて短い期間に絞るのは、集中力を高めてもらいたいからだ。時間をやりくりして創作すると、睡眠時間が減って昼間に眠気との戦いになるかもしれないし、他の用事が重なって制作が進まず、イライラしてしまうかもしれない。それでも途中で投げ出さず、完成まで歩み続けよう。その期間は作品作りに取り組んでいるアーティスト気分で楽しんでほしい。

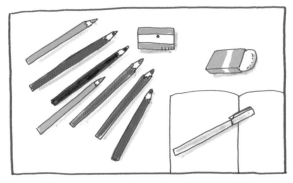

スケッチジャーナルでは基本的に下書きは不要だが、大まかな配置やものの輪郭等のガイドは消せるツールで描くとレイアウトのバランスが取りやすい。ガイドの描き方や描き出しのコツは、47ページでおさらいしよう。

6. 読者＝自分でレビューする

　ページがすべて埋まり、スケッチジャーナルが完成したら大いに喜んでほしい。あなたの手には、自分で作り上げた世界でひとつだけの作品がある。何度も読み返して、個々のページの内容よりも、作品としての統一感をチェックしよう。テーマに沿っているか、メリハリは効いているか、伝えたいメッセージがわかりやすく表現されているか。そして何よりも、自分が読んで楽しいか──スケッチジャーナルは他人のために作るものではない。読者である自分を満足させることに集中しよう。スケッチジャーナルの中には自分が好きなテーマ、気に入った記憶がたっぷり詰まっている。それを1冊、2冊、3冊と作り続けることで、自分の分身のようなコンテンツが増えていく。やがて自己紹介をする必要がなくなるくらい、作品があなたの内面を解説してくれることになるだろう。

池袋散策スケッチ
制作：2017年
道具：ロイヒトトゥルム ノート ポケット A6 方眼（ロイヒトトゥルム）、ピットアーティストペン（ファーバーカステル）、ペン 68（スタビロ）
東京・池袋の街をテーマにしたスケッチジャーナル。このページでは、立教大学からスタートした西口エリアの散策の記憶をちりばめている。別ページには東口編がある。

7. オリジナルのパターンを見つける

　1冊チャレンジを通じて、順調だった作業とそうでなかった作業があるだろう。その感覚の違いは重要で、自分にとって無理のない作り方を見つけるヒントになる。やがて、自分の性格やテイストに合ったパターンを見つけ、「創作の公式化」に至れば最高だ。ここで言う公式とは、一定の結果を生み出す法則を指している。他人が複製できない、あなたの線と文字と色使いが絶妙にブレンドされたアート。それを追求し、再現性が高まればオリジナリティあふれる様式の完成だ。スケッチジャーナルの読者は自分だが、公式が見つかった時にはあなたが生み出す作品を喜んで受け取る人たちが現れるだろう。作品のメッセージに共感してくれる人が増えたり、誰かに刺激を与えたり――あなたはもう、クリエイティブの階段を上り始めている。

タイトル：イベントノート

制作：2013年
道具：カイエジャーナル ラージ プレーン（モレスキン）、水性ドローイングペン（パイロット）、ルナ 水彩色鉛筆（ステッドラー）、マイルドライナー（ゼブラ）

参加イベントの記録をまとめたノート。写真は友人の誕生日ディナーの様子を描いたページだ。イベントごとに、スリーエム ジャパンの「ポスト・イット® ジョーブ 超丈夫なインデックス」を貼って分類し、検索性を高めている。

8. テーマの分類

　テーマ型ジャーナルでは、スポーツやメンテナンス、アート＆カルチャー等、自分の趣味をネタにしたり、自分が記録したいコレクションやグルメをまとめたりする。それぞれのテーマ例と、実際に僕が作ってきたスケッチジャーナル作品の一部からレイアウトのパターンを紹介しよう。1冊チャレンジの参考になれば嬉しい。

カテゴリー	テーマ
スポーツ	野球観戦＆実戦、サッカー観戦＆実戦、フットサル、テニス、バドミントン、ゴルフ、卓球、バレーボール、ビーチバレー、ランニング、登山、トレッキング、フィッシング、ダイビング、サーフィン、パラグライダー、ドライブ、サイクリング、ツーリング、キャンプ等
メンテナンス	ウォーキング、ヨガ、ピラティス、ストレッチ、オーガニックフード、ハーブ、アロマテラピー、筋肉トレーニング、座禅、占い、神社仏閣めぐり、セラピー、サウナ、温泉めぐり、森林浴、海水浴、振り返り、ジャーナリング等
アート＆カルチャー	美術館、博物館、植物園、動物園、俳句、短歌、川柳、コンサート、ライブ、音楽フェス、音楽演奏、バンド、カラオケ、映画、歌舞伎、お笑い、演劇、読書、茶道、書道、香道、花道、絵画、写真、クラフト、DIY、エッセイ、オンラインゲーム、ボードゲーム、文房具、手紙、ポストクロッシング等
グルメ	レストラン、食堂、喫茶店、カフェ、食べ歩き、パン、スイーツ、ワイン、ビール、日本酒、焼酎、居酒屋、せんべろ、おつまみ、ラーメン、パスタ、カレー、ピザ、レシピ、B級グルメ、ローカルグルメ、お取り寄せグルメ等
コレクション	郵趣コレクション、スタンプ帳、コラージュ帳、ショップカードコレクション、シールコレクション、マスキングテープ帳、お気に入りアイテム帳、推しノート、名言ノート、ビーチコーミング写真アルバム、散歩日記、旅日記、育児日記、ペット成長日記、ベランダ植物観察日記、路上植物コレクション、お酒ログ、イベントログ、包装紙コレクション等

9. レイアウトパターン

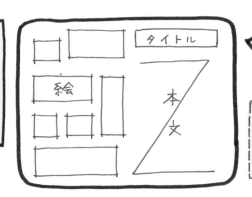

フレーミングスケッチ

枠を使って情報整理

旅行の思い出をまとめる時に使うスタイル。枠を描いてからスケッチを入れていく。

ひとこまスケッチ

ひとこまの中に絵を描く

一定期間内の出来事をセレクトして、こまの中にスケッチ。埋める作業が楽しい。

ルートダイアリー

移動ログをアナログに記録する

スタート地点からゴールまで、立ち寄った場所を書いて矢印でつなげるだけのすごろくスタイル。(出張時)

場所コンボ

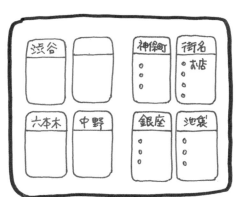

お気にいりの場所をおさえる

それぞれの街のお気にいりを忘れないように、街ごとにまとめておく。そこに行った時に立ち寄るための1・2・3。

切手風ノート

切手モチーフのクラフトを作ってデザインする。

スタンプやクラフトパンチ、クラフト用ハサミなどを使うと切手柄ができる。並べると切手シートのようになってカワイイ。

ビジョンノート

自分の夢や目標を可視化する。

誰にも見せないノートに、自分の願いを具体的に描いてみよう。とてもワクワクしてくる。

すきまネイチャー

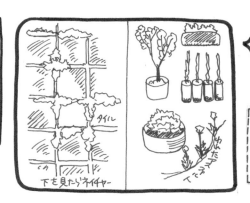

街のすきまにある小さい自然を愛でる

雑草や植木鉢、観葉植物など、街中の緑を探してノートに集めてみよう。いつ消えるかわからないので早く。

良いねノート

自分の日々の暮らしにこと、いいねする。

SNSで他人の生活に反応するのに慣れてしまったら、自分の毎日をノートに集めてみる。

お酒ログ

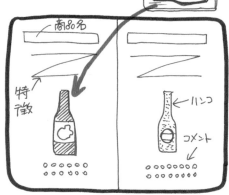

・けしゴムハンコ

友人の@gen46がインスタグラムで公開

自分が飲んだお酒を記録する。

ワインならワインの、日本酒なら日本酒の瓶もスタンプや型紙で作って、そのラベルや全体も再現する。

自由律俳句帳

ランチメニューに
ハンバーグが
ないなんて

> 自由律俳句
> を発表する。

定型にとらわれない俳句
である自由律俳句を発
表するためのノート。スペース
を多めに空けてアピールだ。

イベントログ

NEW

森の一軒家

新刊出ます。

PARTY
REPORT

> 自分の発信
> したイベントを
> まとめる。

自分が開催したイベントや
活動に関するニュースも
ノートに描いては知らせ
をしたりシェアしたり。

マインドギア

・テンプレート
・厚紙でつくる

北欧やかん
デザインが好き

手動コーヒーミル
ゴリゴリたのし

> 自分の愛用品
> もコレクション
> する。

普段使いの、あるいは愛
用品のアイテムも記録
する。記入用テンプレートは
ノートに挟んでおく。

雑誌気分ノート

> 雑誌みたいなページを作ってみる

自分のノートを雑誌の特集ページや定番ページを参考にレイアウトしてみる。自分マガジン。

アナデジノート

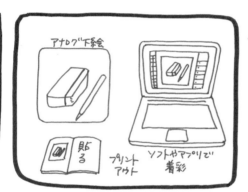

> アナログ絵をデジタルで着彩する

アナログの下絵もスキャンして、グラフィックソフトに取り込んで、そこで色付け。プリントアウト後にカットしてノートに貼る。

4コマスケッチノート

> 4コママンガのようにその日のトピックを描く

短冊型メモ4コマ（無印良品）に4コマスケッチを描いてからノートにスクラップをする。4コママンガのようにちょっと笑ってしまうネタがぴったりだ。

レイアウトパターンの事例

フレーミングスケッチ……
150 ページ参照

美しい静岡の海や富士山の景色をさまざまな視点から描くため、手描きのフレームを配置。マンガのコマのように、サイズを大小付けてメリハリを出した。

カイエジャーナル ラージ プレーン（モレスキン）、フリクションボールノック（パイロット）、クーピーペンシル（サクラクレパス）

フレーミングスケッチ……
150 ページ参照

美術館に展示されている絵画の額縁をイメージして、消しゴムはんこでフレームを作って押した。デンマーク旅行で見掛けた建築物の重厚さを表現している。

アートコレクション スケッチブック ラージ プレーン（モレスキン）、ピグメントライナー（ステッドラー）、ルナ 水彩色鉛筆（ステッドラー）

ひとこまスケッチ……150ページ参照

(C)KOUJI HAYATENO

自作の型紙でコマを描き、愛用品をスケッチ。テキストは書かず、そのぶんのスペースを使って大きく描いている。型紙はサンスター文具の「かどまる3」で角を丸くカット。

アートコレクション スケッチブック ラージ プレーン（モレスキン）、ピグメントライナー（ステッドラー）、ペン 68（スタビロ）、クーピーペンシル（サクラクレパス）

ルートダイアリー……150ページ参照

関西エリアに数日間、滞在した時のルートを文字で書き出しただけの移動ログ。ルートを振り返れば当時の記憶が一気に蘇るのだから、これも立派な旅日記である。

アートコレクション スケッチブック ポケット プレーン（モレスキン）、ピグメントライナー（ステッドラー）

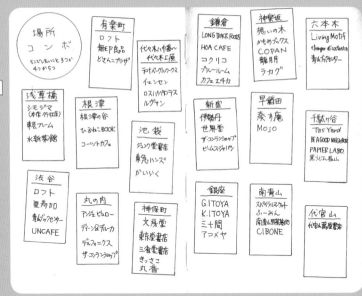

お菓子のラベルに使われていた長方形の厚紙を利用して、紙面にフレームをいくつか配置。それぞれにエリア名と、お気に入りのスポットを記入した。

アートコレクション スケッチブック ラージ プレーン（モレスキン）、ピットアーティストペン（ファーバーカステル）

紙を切手風に切り抜くことができる、ペーパーインテリジェンスの「DECOP エンボッシングパンチ スタンプ」を使用。カットした紙に絵を描いて、クラフト紙のノートに貼り付けた作品。

グリフィー アーチクレイド紙 60g/m² 無地 A6（マルマン）※販売終了、ジュースアップ（パイロット）、色鉛筆紙管入り・ハーフサイズ36色（無印良品）

ビジョンノート……151 ページ参照

新年を迎えるにあたって、「1年間でやりたいこと」を描いた。見返した時、ワクワクした気持ちになるように鮮やかなカラーマーカーの色をたくさん使っている。

測量野帳（コクヨ）、ピットアーティストペン（ファーバーカステル）、ペン 68（スタビロ）

すきまネイチャー……152 ページ参照

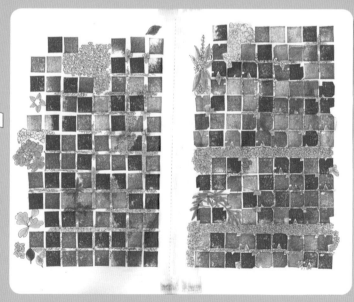

石畳の隙間に生えている雑草を観察してスケッチ。形が微妙に異なる6種類の消しゴムはんこをスタンプして、敷き詰められた石畳を表現している。

カイエジャーナル ラージ プレーン（モレスキン）、水性ドローイングペン（パイロット）、ルナ 水彩色鉛筆（ステッドラー）

良いね！ノート……152ページ参照

暮らしの中のお気に入りシーンを、1つずつフレーム内に収めた。フレームは自作の消しゴムはんこで押したもので、スペースが小さいため 0.3mm の極細ボールペンで描いている。

測量野帳（コクヨ）、ジュースアップ（パイロット）、色鉛筆紙管入り・ハーフサイズ 36 色（無印良品）

良いね！ノート……152ページ参照

こちらは自分の部屋にあるお気に入りのモノをまとめたページ。少し枠からはみ出して描くことで動きを出し、まわりを彩って賑やかな雰囲気にしている。

測量野帳（コクヨ）、ジュースアップ（パイロット）、色鉛筆紙管入り・ハーフサイズ 36 色（無印良品）

お酒ログ……152 ページ参照

2020 6.6
純米吟醸 亀治好日 H30BY
製造者 鯉川酒造
原料米 亀の尾
アルコール度数 15.3%

熱燗で
色 うすーい黄色
香り ほのかな香り
味 やさしく味が乗っかる

2020.6.7
一白水成 特別純米酒 引注袋づり
製造者 福禄寿酒造
原料 米、米こうじ
アルコール分 16度

冷燗で
色 透明
香り ほのかな甘い香り
味 甘味、旨味
By @gen46

友人が Instagram（@gen46）で公開していたログ。お酒の瓶は型を使ってスケッチし、その中にラベルの柄を描いている。型があればコレクションノートを作る時に便利だ。

カイエジャーナル ポケット プレーン（モレスキン）、ピットアーティストペン（ファーバーカステル）、クーピーペンシル（サクラクレパス）

自由律俳句帳……153 ページ参照

○温めは一五〇〇ワットでして欲しかった

○休日に鳴る平日のアラーム

「自由律俳句」とは、定型を気にしなくてもいい俳句のこと。日々の暮らしで目撃したモノやコトを、ちょっとだけシニカルな視点を盛り込んで綴る。

クラシックノートブック ポケット プレーン（モレスキン）、サインペン（ぺんてる）

イベントログ‥‥ 153 ページ参照

自分が企画して始めた「星座の集い」。蟹座のメンバーが集まり、料理を楽しみながら他愛もないことを話した思い出を、明るい色をたくさん使って再現した。
カイエジャーナル ラージ プレーン（モレスキン）、水性ドローイングペン（パイロット）、クーピーペンシル（サクラクレパス）

マインドギア‥‥ 153 ページ参照

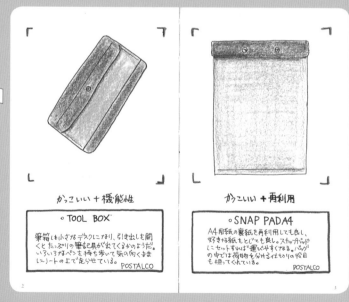

愛用品の数々を、「マインドギア＝心の友のような道具」として描いたコレクションノート。
レイアウトは型を使って統一。自分なりの使い方や商品情報も書いておく。
ロイヒトトゥルム ノート ポケット A6 無地（ロイヒトトゥルム）、ピットアーティストペン（ファーバーカステル）、クーピーペンシル（サクラクレパス）、ペン 68（スタビロ）

雑誌気分ノート……154ページ参照

Life is a Journey.　ハヤテノコラム

雑誌の情報ページやミニコーナーのデザインを参考にしたレイアウト。このページでは、有名なイラストレーターの展示を見に行った記録をコラムっぽく書いている。

アートコレクション スケッチブック ラージ プレーン（モレスキン）、ピグメントライナー（ステッドラー）、クーピーペンシル（サクラクレパス）

4コマスケッチノート……154ページ参照

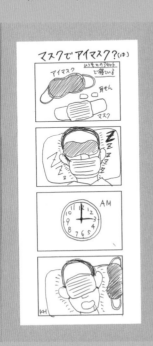

日常で目撃したり体験したりしたことを、4コママンガ風にモノクロで描く。あらかじめ4コマが印刷された無印良品の「短冊型メモ」を使うと便利だ。

トラベラーズノート リフィル クラフト紙（トラベラーズカンパニー）、短冊型メモ4コマ40枚（無印良品）、ステドラー（ファーバーカステル）、ピットアーティ

テーマ型ジャーナルの事例

　僕の場合、1週間の海外旅行をテーマにスケッチジャーナルを作ると、およそ200ページのミディアムサイズのノート1冊が埋まる。テーマ型ジャーナルの実例として、冬のフィンランド旅行の思い出をまとめた作品と、完成するまでの過程やポイントをまとめる。

📍 全体の流れ

旅 行 前

スケッチジャーナルの構成を考える

使う道具：TWO-GOノートブック（モレスキン）＋イソグラフ（ロットリング）＋スイスカ
　　　　　ラー（カランダッシュ）
構　　成：カテゴリーを決めておく（風景スケッチ、料理、お土産など）
　　　　　※今回のように「旅」をテーマにした場合、現地での過ごし方によって内容
　　　　　　が変わるので、ページネーションは旅行後に作成することも多い。
　　　　　　その場合でも事前にカテゴリーを決めておくと、旅先で効率的に素材を
　　　　　　集めることができる。

旅 行 中

移動中、スケッチジャーナルの素材を集める

- 時系列で行動ログを取る
  道具：カイエジャーナル ポケット（モレスキン）＋ジェットストリーム スタンダード
  （三菱鉛筆）
- スナップショットを撮影&メモを取る
- 簡単なスケッチを残す
- 各所で紙素材を集める

旅 行 後

旅行後、以下の順番で制作する

① ノートの右下にページ（数字）のスタンプを押す
② 旅のコンテンツを配分する（ページネーションを決める）▶165ページ
③ 各ページ、どのように見せるのかを考える（プランシートを描く）▶166ページ
④ 1ページずつ完成させていく。
　（配置を考えながら輪郭を描く→ペン入れ→着色の順番に行う）

使う道具（ノート＆筆記具）

　今回、メインで使用したノート＆筆記具は以下。時々、万年筆やカラーペンで描いたページも挟んでアクセントを付けている。ノートの表紙はフィンランド国旗のステッカーを貼ってデコレーションした。

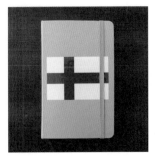

スイスカラー
色鉛筆 18色［カランダッシュ］

イソグラフ
IPL 0.1mm［ロットリング］

TWO-GOノートブック
ミディアム［モレスキン］

カテゴリー

　旅行前にカテゴリーを決めておくと、旅先で内容に合った紙素材を集めたり、決め打ちで写真を撮ったりできる。今回の作品の最終的なカテゴリーは、以下のようになった。

P01～20 ▶▶ **旅の絵日記**
まずは旅先での過ごし方を1日ごとに記録（DAY1～DAY7）。

P21～23 ▶▶ **貼り付け**
切手やポストカードをカラープリントして貼ったページ。

P24～36 ▶▶ **旅の写真とひとこと**
写真（カラープリントしたもの）とキャプションで見せる。

P37～39 ▶▶ **貼り付け**
カードや紙袋の現物を貼ったページ。

P40～43 ▶▶ **万年筆画**
ヘルシンキの風景を万年筆で描いたビジュアルページ。

P44～61 ▶▶ **旅のエッセイ**
訪れた場所や料理、お土産をテキスト＆イラストで描写。

P62～64 ▶▶ **写真**
印象に残った風景の写真をカラープリントして貼った。

P65～69 ▶▶ **まとめ**
旅の締めくくりの言葉や、旅で得た収穫をまとめる。

ページネーション

　以下の表は、旅行後、コンテンツの配分を決める際に作成したページネーションだ（一部）。今回の作品は、左ページと右ページの見開きで1ページ分とカウントするという特殊な構成。そのため、1ページでストーリーが完結するのではなく、見開きで見せるレイアウトになっている。同じ見せ方が続くと飽きるので、スケッチで見せるページや紙素材を貼り付けるページ等、カテゴリーごとに見せ方を変えるとリズムも出て最後まで楽しめる。

講座名						氏名：		
タイトル	フィンランド旅日記							
ツール	ノートブック（モレスキン）、イソグラフ（ロットリング）、スイスカラー（カランダッシュ）							

ページ		カテゴリー	ページタイトル	内容
1	ページ	旅の絵日記	DAY1	旅行1日目のログ
2	ページ			
3	ページ		DAY2	旅行2日目のログ
4	ページ			
5	ページ			
6	ページ			
7	ページ		DAY3	旅行3日目のログ
8	ページ			
9	ページ			
10	ページ			
11	ページ		フィンランドの人々	旅で見かけた現地の人々のスケッチ
12	ページ		DAY4	旅行4日目のログ
13	ページ			
14	ページ		DAY5	旅行5日目のログ
15	ページ			
16	ページ		DAY6	旅行6日目のログ
17	ページ			
18	ページ			
19	ページ		DAY7	旅行7日目のログ
20	ページ			
21	ページ	貼る	使用済み切手	古切手をカラープリントして貼る
22	ページ		ポストカード	ポストカードをカラープリントして貼る
23	ページ	旅の写真＆ひとこと	01. アアルト邸	アアルト邸の内部（写真）
24	ページ		02. グッドライフコーヒー＆カフェエンジェル	
25	ページ		03. カフェエスプラナード	カフェの風景（写真）
26	ページ		04. カフェブリオッシノマリトリ	
27	ページ		05. ホテルの朝食	朝食へのこだわりについて（写真）
28	ページ		06. マーケット	市場に関する情報（写真）
29	ページ		コバルトブルーで描く北欧の風景	サラサで描くスケッチ
30	ページ		07. ムイカのフライ	フィンランドの日本食（写真）
31	ページ		08. スオメンリナ島	スオメンリナ島の記録（写真）
32	ページ		09. 港	凍っていた港（写真）
33	ページ		10. 湖沿いの夕日	カフェ・レガッタで見る夕日（写真）
34	ページ		11. 夜の散歩	夕食後の散歩（写真）
35	ページ		12. カイヴォプイスト	すてきな公園（写真）
36	ページ		13. 街の風景	ヘルシンキの風景（写真）
37	ページ	貼る	ヘルシンキカード	ヘルシンキカードの実物を貼る
38	ページ		フィンランドの料理スケッチ	旅行前に描いた絵を貼る
39	ページ		ヘスバーガーの紙袋	地元バーガーショップの紙袋を貼る
40	ページ	万年筆画	ヘルシンキの万年筆画	ポストカードをスキャン→縮小→プリントして旅日記に貼る
41	ページ			
42	ページ			
43	ページ			

プランシート

165ページのページネーションとともに作成したのが、下のプランシート。カテゴリーごとにどのような見せ方をするか、何をどこに配置するのか、ページネーションをビジュアル化したものだ。写真が入る場所には□、絵が入る場所には○、文字は線など、ざっくりでいいので描くと全体の流れがつかみやすい上、各ページを制作する際にガイドとして使えるので役立つ。もちろん、ページネーションやプランシートの内容は制作しながら変更してもいい。

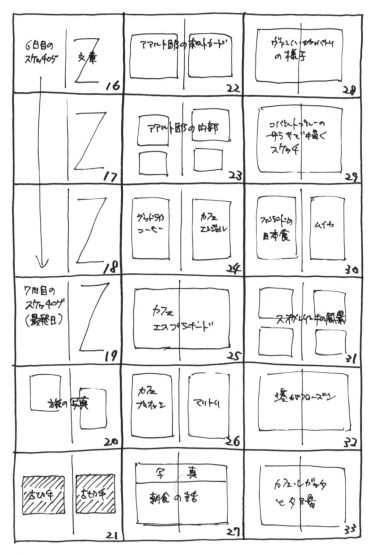

表紙をめくった見返し。フィンエアーに乗った証としてロゴやタグ、写真も貼って作品の導入に。

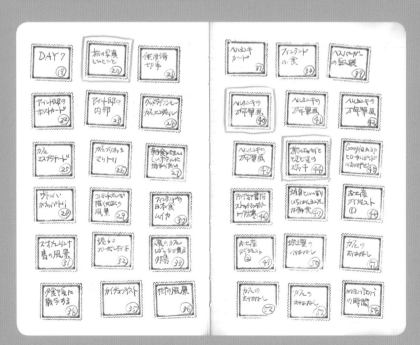

切手型スタンプをノートのページ分だけ押し、各ページのタイトル＆ページ番号を書いた目次。

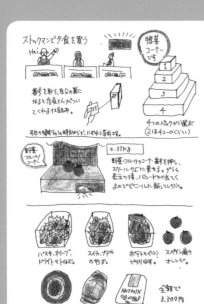

ストックマンで夕食を買う

Hei↑

番号を取り、自分の番に
なると店員さんから呼び出し
てくれるという仕組み。

平日の帰宅ラッシュ時だからか、にぎわう店内です。

野菜・フルーツ
コーナー

0.33Kg

野菜・フルーツコーナーで番号を押し、
スケールの上に乗せる。しばらく
表示を待つと、バーコードが出てくる
のでビニールに貼ってレジへ。

総菜
コーナー

つまみ

1
27
3
4

4つのパックから選ぶ
(1ぱっく5〜10ぐらい)

パスタ、オリーブ、
ドライトマトなど。

スイカ、ブドウ
のサラダ。

ホタテとベーコン
のピリリ炒め。

スペイン産の
オレンジ。

おいしいパン。

シナモンロール。

ミックスナッツ。

NIXMIX
088088

全部で
3,800円
くらいでした。

ホテルの部屋でゆっくり食べました。

STOCKMANN

AKKSCHINI
Ranki
HOTELS
HERITAGE

DAY 1 成田国際空港からヘルシンキへ

成田空港第2ターミナルでWi-Fiを受け取り、チェックインカウンターへ。
定刻どおりにテイクオフ。ジェイソンボヒやインディペンデンスデイ
などを見て、9時間でヘルシンキのヴァンタ空港に到着。
鉄道に乗りヘルシンキ中央駅へと向かう。前はフィンエアーバスで
向かっていた。前回から鉄道で移動ができるようになっていて
便利である。

ヘルシンキ中央駅から15分くらい歩く。曇り空で陽が傾
く冬の様子を感じる。ホテルはエスプラナーディ公園に近い、
中心部にあった。ビジネスホテルで支庁的なスタイルのお店。
部屋は広々としていてスタイリッシュ。機能性も良いし、荷物
を置いてさっそく散歩にでかけよう、ということでまた外に出た。冬の
フィンランドの寒さを覚悟してきたので、防寒はバッチリ。

ストックマンデパートの食料品売り場で夕食を買う。総菜
カウンターの前にある番号を取り、自分の番号が室内板に表示
されると、店員さんが付けてくれる仕組みになっている。パックは
1から4まで、大きさが異なるサイズがある。大きいパックにい
くつかの種類を選択させるものも可能なようだ。野菜やフルー
ツは、スケールの上に乗せて番号を押すとバーコードが出てくる
のでこれをビニール袋に貼る。

平日の帰宅ラッシュ時だからか、人が多かった。

1

まずは、7日間の思い出を絵日記風に（1〜20ページ）。1日分の記録を4〜6ページ使って描いている。

ホテルの朝食

北欧らしいライ
麦パン。
カリカリベーコン。
チーズ各種。
ベイクドビーンズ。
ソーセージ。
トマト。
サーモン。
コーヒーとオレンジジュース。
ヨーグルト。
ベリーがおすすめ。

北欧は
乳製品と
サーモンが
絶品。

10こぐらいかくらいでも太陽はまだこの位置。

ヘルシンキを歩き、何度も写真を撮る。

青、オレンジ、白。

こんないい天気、というのは予想外だった。

昨日来たときは、青空の下でJAZZ
フェスティバルをやっていた。
緑の芝生の上で、レジャーシートなどを
しいて、くつろぐ人たちがたくさん
いた。カイヴォプイストは本当に美
しい公園だ。

DAY 2 冬のフィンランド

朝食はまあまあおいしい。いつも食べすぎるのでほどほどに。
外に出て深呼吸をする。エスプラナーディ公園を歩く。その先
のヴァンハカウッパトリへ。古い市場という意味だ。
8時から開いている店もあれば、10時、11時に開ける店もある。
到着したのは10時、まだ3分の1くらいしかオープンしていな
いかんじ。とりあえず1周して外に出る。

市場から道を入ったところにある、ツーリストインフォメーションで
ヘルシンキカード（72時間）を買う。美術館や博物館、
歴史的な建造物などをたくさん巡る場合、ヘルシンキカード
は便利である。コペンハーゲン、ストックホルム、オスロでも
同様のカードがあり、公共交通機関と各スポットが
乗り放題、無料あるいは割引になる。今回初めて、
交通に特化したカードができたのを知る。

ツーリストインフォメーションセンター前の斬り場からトラムに乗り、
カイヴォプイストへ。海が見渡せる美しい公園である。
公園は雪の名残で凍っている。ストーブーツを踏みしめ、
注意深く歩く。太陽の光が反射して、地面が輝い
ている。美しい光景が広がる。海沿いを散歩しながら、
しばらく絶景を眺めた。写真を何枚も撮ったオレンジ
とホワイトとブルーの世界。フィンランドの人々がのんびりと
歩いていく。私たちも続いていた。

3

右ページだけ横罫が印刷されているノートなので、左ページに絵、右ページに文字のレイアウトで統一。

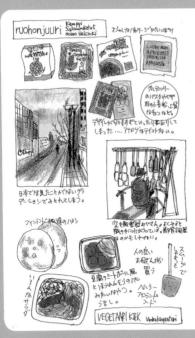

カフェでゆったりしてしばらくのんびりしてから、バスに乗ってKamppiに戻る。オーガニック食品の店に入る。ruohonjuuri、すごすぎる。こだわりの品揃えと、わかりやすい説明に感動した。店員さん、皆、親切。帰国前日にまた来ると決めて、この日はオレンジ1つ、スナックを買う。

この店を出た瞬間に、夕陽と空が今まで見たことがないグラデーションになっていて、とても幻想的な情景を味わうことができた。

歩いてツーリ・カウッパトリに戻る途中で、空き瓶を楽器にするすいせんを発見。「世界ふれあい街歩き」に出ていたと記憶している。夜のエスプラナーディ公園はトカイナなのにライトアップがとてもいいんだ。

最後の訪問先は、市場にあるVEGETAARI K&K。こちらのお母さんも「ちょい住みフィンランド編」に出演していた。私たちの姿を見るなり「OHん!」と声をあげたので、同じようにテレビを見てきた日本人がいるようだ。こちらもあいかわらず片言の英語で、お母さんがすすめるままにサラダやフィンランドのパン、スムージーを買った。フィンランド家庭料理を、じっくりじっくり味わう夜。

2日目、終る。明日は有名な建築家、アールトを学ぶ。

6

安定感のある角版と、動きのある切り抜き風のイラストを混在させることで街歩きの躍動感を表現。

DAY3 アールト邸見学

午前中はアカデミア書店で本と文房具をチェック。さらにaltekでかっこいいインテリアに触れる。しびれる。自分の部屋を店内にあるもので構成したら、どんなにすごいことだろう。ちょっとだけ中央駅に入る。駅という場所は人をどこかに、遠くに行くことを想像できるので好きだ。北欧諸国ごとに少し違いがある。それから近くの郵便局に入ろうとしたけれど、2階にある窓口や売り場に行くことができなかった。土曜日だから?もシクレ探せば入れたのか。デザインの良い郵便グッズが売っている。次にしよう。

Kamppiまで歩いて、トラムでテンペリアウキオ教会に向かう。前日、セウラサーリ島に行く途中で同じホームに立っていた時、フィンランド人のおじさんがすすめてくれたのだった。

「いいかい、あそこに見える不思議な建物があるだろう。あれは教会なのだよ。おすすめなので、行ってみたらどう?歩いてもいいけど、このホームからトラムに乗ると楽だよ。」

ありがとうおじさん。到着してみると、外も中もおもしろいデザインになっていた。次から次へとやってくるアジア人旅行客のテンションを上げるには十分だ。アナウンスで注意されると、みんなで「シー。」の大合唱になる。

「ここは教会、静かに過ごす場所です」

7

建造物の圧倒的な存在感を表すため、フレームを整列させてページいっぱい埋めるように描いた。

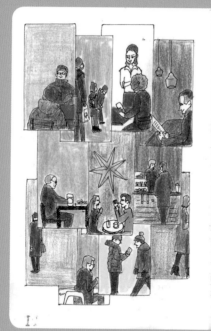

11

同じレイアウトが続くので、途中でスケッチのみのページを挟んでアクセントに。現地の人々を描いた。

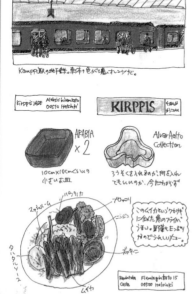

Kamppi駅の地下鉄。車体の色がお洒落なレンジだ。

Krippis JADE	KIRPPIS
Aallesi Wiberteto 00530 Helsinki	リサイクルショップ

ARABIA ×2
10cm×10cmくらいの
小さいお皿

Alvar Aalto
Collection
ろうそく入れかと何か入れ
てもいいのかな、今だから！？

このゲイカというワカサ
ギに似た魚のフライが
うまい。野菜もたっぷり
なのでうれしい♪

Ravintola Flemingintanto 15
Oulo 00500 Helsinki

・DAY4 フィンランドの日常

KamppiのK-Supermarketでたくさんの商品を見て大
満足。翻訳アプリが活躍する。スマホが旅を変えたね。
地下鉄に乗ってSömaistenで下車、カッペリエリアに
到着した。セカンドハンドストア（リサイクルショップ）が点
在するエリアだ。フィンランドでは古いものを繰り返し使う
文化が根付いている。

Krippis JADEは品揃えが豊富で、店番のマダムが
かっこいい。1970年代の使用済み切手シートを数枚、
アラビアのお皿、イッタラのボウルを買う。マダムが切
手の年代について説明してくれた。ロシア風なかんじ
の人々に出会えそうなのもフィンランドの面白さだ。こ
の店は現金オンリーだった。

Ravintola Cellaでムイカ（フィンランドでよく食べ
られる小魚）のフライ、サーモンスープを注文。なぜ
かボリュームを考えてセーブした事はハーフサイズに
変えたりハーフな ボリュームで来た（あたりまえだ）。
ムイカがめちゃくちゃおいしい。カリッとあがっている魚
にマッシュルームをからめていただく。音楽が流れて
いない地元密着レストラン、とても静かである。

フィンランド人が時を過ごす雰囲気はとてもいい感
じで絵になる。スケッチしたい衝動が止まらない。
もう一軒、お店をのぞくことにした。

12

ページの最初に地下鉄を描写することで、DAY4から別のエリアに移動したという情報を伝えている。

ブッフェスタイルのランチ。毎日食べたいヘルシーさ。

野菜たっぷり。

外側からマリメッコの社員食堂の様子が見える。中に入ってみた。

maritori

バウチインバックで活躍中

こんなかんじの柄の布

Maritori Puusepänkatu5, 00130 HELSINKI

DAY5 アンティークショップのお薦め品

まずはツーリストインフォメーションで1デイチケットを買う。中央駅から地下鉄に乗り、マリメッコマーケットのあるヘルットニエミ駅で下車。雪降る中を歩いて15分ほどで到着した。道路工事のため見つけるまで少しかかった。

マリメッコ社員も利用する（というよりは社員なのだ）社員食堂に入る。maritoriという名前だ。ブッフェスタイルな、超絶オシャレ社食であるこれだけで入社したくなってしまうだろう。そこはマリメッコ、全てオシャレでサクサクする。ランチの味もすばらしい。

正午近くになると、全身マリメッコな社員さんたちが次から次へとやってきてほぼ満席となる。私たちのようなツーリストは端の方から全体を眺める。社員食堂を解放してしまう発想がすごい。社内なので、課題の話しなどをしているような人々も見える。

ランチタイムを満喫した後は、アウトレットショップに移動してショッピング。お得な商品がたっぷりある。満ち足りたデザインの木シェットと、自宅のテーブルにしたげたい柄の布を買った。どこがアウトレット品なのかを細かく説明してくれる。TAX FREEを告げてショッピングは完了した。

14

左ページは3分割して食堂のブッフェ、食堂の人々、併設されたショップで買ったものを描いた。

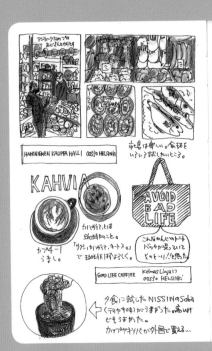

アンティークショップのおじさんと娘さん

HAKANIEMEN KAUPPA HALLI 00530 HELSINKI

市場は楽しい。食材をいろいろ試したいところ。

KAHVI

カフヴィとはフィンランド語でコーヒーのこと。

かつ4-1 うまし。

「フクシ」（ハイチャ、キナス）で珈琲はさらによく。

こんなかんじのトートバックが売っていて、どっちにしようか悩んだ。

AVOID BAD LIFE

GOOD LIFE COFFEE

Kolmas Linja11 00530 HELSINKI

夕食に試したNISSINのSoba（テリヤキやき）からうまさった。高いけどとても美味かった。

カップやきソバが外国で買える…

久しぶりのハカニエミ・マーケットに来た。のんびりしている。お客さんの年齢が高めだ。アンティークショップのおじさん、どんどん売りこんでくる。60年代と70年代ではARABIAでもこんなに違うんだよ、ほらごらんよ…といった感じで。私はわかっていないので買いたいと思うけれど、相方はごにょごにょフニャフニャしていて決めてくれない。ということで、家にあったらいいな、と前から思っていたマリオルの布を買った。また来るよと告げて。

どのお店でも声をかけてくる。マリメッコではトートバックさ買った。手づくりのくつ下を売るお店さんがいた。

さて歩き疲れたのでマーケットから近いグッドライフコーヒーに入った。めちゃくちゃ気に入った。時間の使い方と人との距離感がフィンランドらしくて好きだった。雰囲気が良くて過ごしやすい。「AVOID BAD LIFE」という、胸にグッと来る、ストレートなメッセージのトートバックがあった。（そのとおりだ……そのとおりだ……）

3番トラムは周回する。降りないでゆっくりと車窓を見て時間を過ごした。これもいい。環状線があったらそのまま1周してみるのはありだと思った。Kmartで日清の焼きそばとトルティアチップス、ストックマンのサラダマーケットで買ったどちらかで夕食を取る。このやきソバはエロマンという店のもので、とても大きいので驚いた。

15

フレームを使ってマーケットのビジュアル情報を整理。焼きそばは麺の躍動感が伝わるように描写。

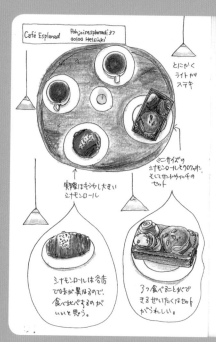

Café Esplanad   Pohjoisesplanadi 37
00100 Helsinki

とにかく
ライトが
ステキ

ミニサイズの
シナモンロールと207ウサ、
そしてサンドウィッチの
セット

実際はもう少し大きい
シナモンロール

シナモンロールは各店
で味が異なるので、
食べ比べするのが
いいと思う。

3つ食べることができる
このセットがうれしい。

DAY6 スオメンリンナ再び

本日はホテルの朝食はとらないで、外で楽しむこ
とにした。エスプラナーディ通り沿いのカフェエスプラナド
に入る。運良く窓側りのテーブルが空いていた。
3つのパンのセット、シナモンロール、そしてコーヒー。中央に
メニューが並んだケースとカウンター、その周りにテーブル席
となっていて、奥にも部屋があるようだ。

天井から下がっているエメラルドグリーンのライトが美しい。
2006年に初めてフィンランドに来た時から気になってい
たカフェに、4回目の訪問でやと来た。ヘルシンキに
住むことがあったら、リピートしそうなお気に入りの空
間で、飾らない落ちつきの中にもシンプルなデザイン
が光っている。静かな朝食のひとときだった。

ツーリストインフォメーションで、スオメンリンナ行きフェリーと
1日チケットを買う。これでスオメンリンナとその他交通機
関を移動できる。カウッパトリの港からフェリーに乗
り、スオメンリンナ島に着いた。この島は要塞だった
ところで、フィンランド軍が出た後はアートなエリアとし
て人気だ。住民もけっこういるらしい。大砲がいく
つか置いてある。潜水艦も見学できる。

寒空の下で、少しだけ斜めに陽がさしこむ風景が
幻想的だ。彼方の雲が美しい。夏に立った同じ
場所で、夏の青と冬のグレーを対比させてみた。

16

エスプラナーディ通り沿いのカフェは照明がおしゃれだったので、モチーフにしてページに点在させた。

スオメンリンナまでのフェリー一覧からの風景。小さい島々に家が並ぶ。

遠くから眺める教会、空の雲のストライプ。

フェリーを降りて最初の建造物、レンガなのが赤いのが、ステキ。

かもめがいる。でも本物では
ない。あちらこちらを見ている。

大砲がとても重そうだ。

緑色の枝の木
のほうが本物
かもしれんじゃ

イーハレサン！
カラフルなダウンジャケット
を身を包んだツーリスト。
手をつないで記念写真
というアイデアがとても
良いね。

Suomenlinna 00190 Helsinki

17

風景の美しさを打ち出すため、文字はキャプション程度にとどめ、フレームをすっきりと整列させた。

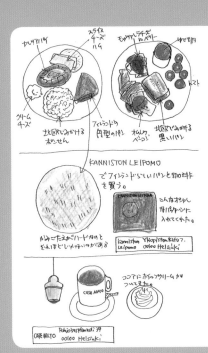

カリフラワー
スライス チーズ ハム
モッツァレラチーズ にベリー
ゆで卵切
クリーム チーズ
北欧でみかける おせんべい
アイスランドの 角型のパン
オムレツ ベーコン
北欧でみかける 黒いパン
トマト

KANNISTON LEIPOMO
でフィンランドらしいパンと珈琲を買う。

こんなオシャレ なパッケージに 入れてくれた。

かみごたえがハードなのと どれほどじゃないのかがある。

Kanniston Ykopiston katu 7.
Leipomo 00100 Helsinki

CAFE AALTO
ココアにホイップクリームがついてました。

CAFE AALTO Pohjoisesplanadi 39
00100 Helsinki

DAY7 最終日も楽しむ

最後の朝食はホテルでいただく。どんもおいしかったので毎朝楽しみだった。気に入ったメニューをお皿にのせて、しばらく眺めていた。珈琲やホットドリンクはホテルの部屋や外出用に、テイクアウトのカップが置いてあるのが良い。

チェックアウト後は珈琲豆も買ったり、港の周りを歩いたりして過ごす。アカデミア書店でフィンランドの人々のライフスタイルを紹介した本を買った。読むのが楽しみだ。最後のスポットは CAFE AALTO になった。

ヘルシンキ中央駅からヴァンター空港行きの列車に乗って移動、チェックインして荷物を預け、お土産を買ってカフェで時間もつぶした。パスポートコントロールでは自動チェックコーナーを利用してクリア。

帰りのフライトも快適で、高度10000メートルの神秘的な風景を見つめていた。

冬のフィンランド旅行は定例行事となりそうだ。

19

旅行最終日に食べたビュッフェスタイルの朝食。それぞれ、気に入ったおかずの特徴をメモしている。

KrippisJADEで買った使用済切手。1970年代のもので、絵柄の好きなタイプを選ぶのが楽しかった。切手風の絵を描いてみたるよな。

21

リサイクルショップで買ったフィンランドの古切手。現物を貼らずにプリントしてノートに貼っている。

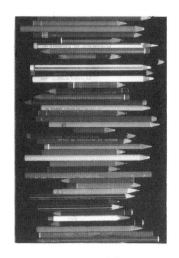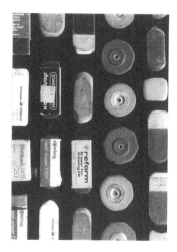

アイルランドのギャラリーショップで買ったポストカード。自分の事務所 ができたら飾りたいカッコ良さ。使用済み文具のかっこ良さがある。

ポストカードもカラープリントして貼り付け。厚みのある素材でも、この手法なら無理なく収録できる。

ヘルシンキ大聖堂の前にあるCAFE ENGELのワンシーン。ドラマティックな2人。

グッドライフコーヒーのトートバックのメッセージが「そのとーり！」で胸にグサリと来るやつだった。

24 〜 36 ページはスナップショットを掲載。1〜20 ページのスケッチのもとになった写真も登場する。

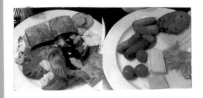 

朝食がおいしいホテルに泊まりたい。

　海外旅行でのホテル選びはいつも慎重になる。クチコミをいろいろと調べる中で、「朝食はどんなのか」に注意をはらう。なぜなら、かつて一度だけ失敗してしまったことがあるのだ。グレードアップできるならケチケチしない方がいい、ということも学んだ。

　初めてフィンランドに来た年は、朝食会場がとても広くて、窓が多いので明るい雰囲気のホテルだった。乳製品とベリー、サーモンのおいしさに感動。その頃もフィンランドではハズレはない。今回のホテルは中心部でビジネス客が多い。そのため朝食会場がコンパクト（普通の店舗といった広さ）、メニューもほど良い数だった。

　フィンランド独特の食べ物と、北欧諸国共通の食べ物が並んでいる。今回はまったのはチーズパンという焼きチーズ。朝食時には毎回食べていた。まあチーズはとにかくいろいろ試してみることにしている。あとはヨーグルトにたっぷりのベリーをかけて食べるのも好きだ。この生活を毎日したくらいに、ベリーはおいしい。東京ではムずかしいなー。

　他には、日本でいうところの「ポンセン」がある。普通においしい。塩をちょっとふりかけてみたらいいと思う。クッキーなんかも何種類かあるので全く飽きない。アパートを借りる滞在スタイルもいいけれど、ホテルは朝食が出てくる楽しさがあるのです。

27

写真はコラージュ後にプリントして貼り付け。レイアウトが単調にならないようページ毎に配置を替えた。

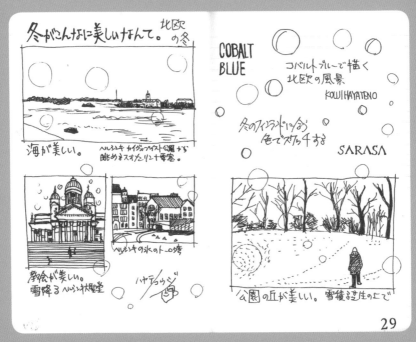

29

冬のフィンランドの美しさを、ゼブラのボールペン「サラサ」で表現。コバルトブルーのインクを使った。

café **aalto**

marimekko®

Artek Helsinki
#artekhelsinki artek.fi

36

公共交通機関の写真も載せ、旅の移動を感じさせる。紙素材を写真に重ね貼りしてコラージュ風に。

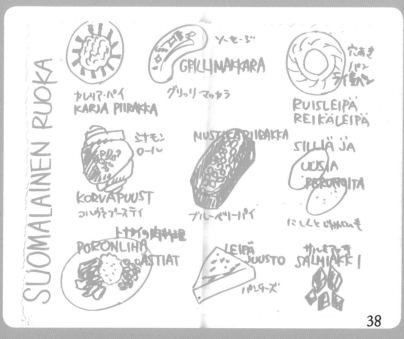

38

旅行前、ガイド書を見ながら備忘録として描いた食べたい料理の絵をそのまま作品に貼った。

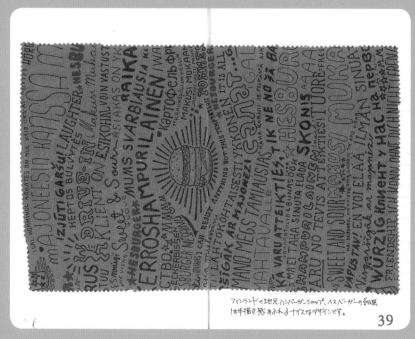

フィンランドの地元バーガーショップ『ヘスバーガー』の紙袋をギザギザにカットして貼った。

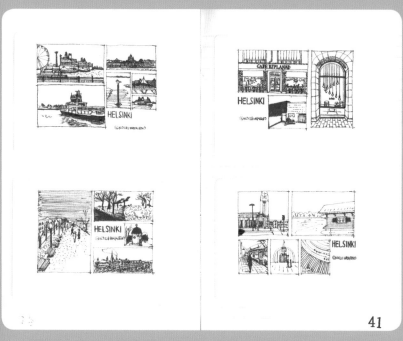

40〜43ページはヘルシンキの万年筆画。ポストカードに描いたスケッチを縮小コピーして貼っている。

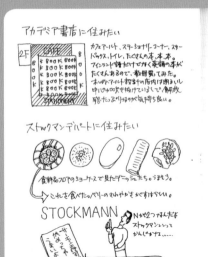

アカデミア書店に住みたい

カフェアート、ステーショナリーコーナー、スターバックス、トイレ、たくさんの本。本、本、本。フィンランド語だけでなく英語の本がたくさんあるので、新刊見てみた。あいゆるアート関連の所在のは興味ない中いの本が揃けていくので解放感。たっぷりなのが気持ち良い。

ストックマンデパートに住みたい

食料品フロアのショーケースで見たデニッシュたち。うまそう。

→ これを食べた。ベリーのさわやかさがすばらしい。

STOCKMANN

Nが2つなんだよ ストックマンって。がんばんなぁ......

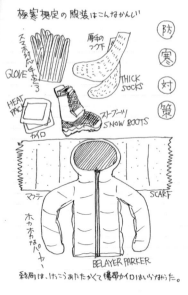

極寒想定の服装はこんなかんじ

防寒対策

GLOVE

HEAT PACK / カイロ

THICK SOCKS

ストーブーツ SNOW BOOTS

マフラー / SCARF

ホカホカなのじゃ、ヘヘ

BELAYER PARKER

結局は、けっこうあたたかくて、携帯カイロはいらなかった。

61ページまで旅のイラストエッセイ。「お土産」や「お役立ち情報」等、テーマで分けて描いた。

A2 Care 300ml スプレータイプ

我が家で愛用している防臭除菌消臭スプレーを旅行にも持ってきているので毎日いろいろなところにスプレーするのです。大きいタイプは一週間で使い切ってしまいました。スッキリいい気分になるのでオススメ。

ルームフレグランス

エスプラナーディ通り沿いのロクシタンでルームフレグランスを入手。ホテルの部屋にシュッとたまにするだけで、とってもお気に入りの空気ができあがり。良い気分で過ごすことができるホテルのひととき。

消臭といい香りと。

いちばんシンプルな朝食

ボンせん

ジンジャークッキー

ヨーグルトウエにベリー類もたっぷりと

2006年にはじめてフィンランドに来たときに、日本のボンせんと全く同じ形の食べ物があってびっくりした。朝食でおでる時は味がついていないけれど、スーパーマーケットにはいろいろな味のシリーズが揃っている。

フィンランドだけでなく北欧諸国のヨーグルトとベリーのおいしさはたまらない。たっぷりとかけて甘酸っぱいのを愛しむ。ベリーといってもいくつか種類がある。

ささやかに用意されたクッキーなどもうれしい。

旅のサイドストーリーはペンの色数を抑え、前半の絵日記や写真のページと差別化して描いている。

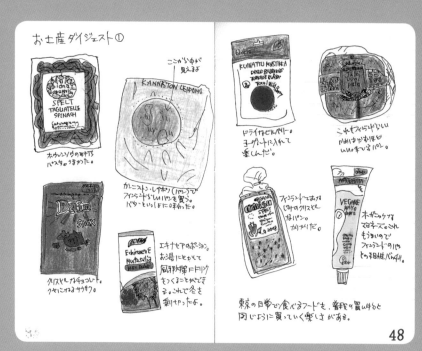

お土産ダイジェスト①

お土産は帰国後、しまったり使ったりする前にパッケージを撮影しておく。もちろん後で描くためだ。

カフェのおはなし。

KAHVIA

カハヴィアとはフィンランド語でコーヒーのこと。

GOOD LIFE COFFEE

街に2けたニオシャイスカフェ。

カフェラテ

バッドライフを避けろ！

ハカニエミ・マーケットから歩いてすぐのエリアにあるグッドライフコーヒー。は地元の人たちがよくくつろいでいる癒しの空間で寄りがたい感がないというとしたお店であるなぜかというかあるのトートバックの強くシンプルなメッセージを見てしまったからだ！バッドライフを避けろ！という伝言。しっかり理解した。その名り。

AVOID BAD LIFE

→ AVOID BAD LIFE

とにかく落ちつくカフェ。

Cafe Esplanad

パンもとても良い

シナモンロール

パンのセット

のみやすいコーヒー

素敵な雰囲気

真ん中にカウンターがある

グリーンの傘

素敵だったカフェの紹介。店名は目立つように書き、そのお店を象徴するキャッチも付けている。

フィンランドの定番カフェ。

ROBERT'S COFFEE

ロバートコーヒーは飲みやすい味でゴクゴクいってしまうおまさです。

シネマの世界のような力フェ。

Cafe Engel

ヘルシンキ大聖堂裏手のカフェは、少し暗めの店内が落ちつきを与えてくれる空間だった。隣席のカップルがとてもステキで、彼らの人生という舞台のエキストラになれたかもしれないとほほえんだ。

美しく凍った湖のカフェ。

Cafe REGATTA

寒いとしても太陽が出ているから会話を楽しもう、なんかんじの人々がいた。

スウィーツが濃厚で重みがくわとんだ

カフェで過ごすお客さんたちも登場させ、雰囲気が伝わるように。人物を入れると紙面が賑やかになる。

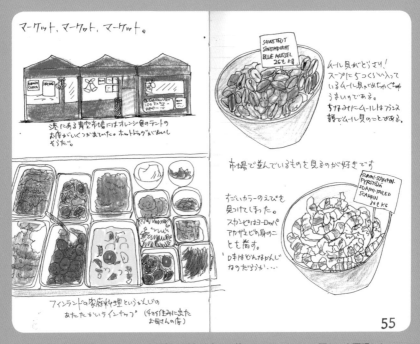

マーケット、マーケット、マーケット。

港にある青空市場にはオレンジ色のテントのお店がいくつかありました。ホットドッグがおいしそうだ。

フィンランドの家庭料理というかんじのあたたかいラインナップ（チョイスみに出たお母さんの店）

SAVSTERUT SININPUKET BLUE MUSSEL 26も／kg

ムール貝がどっさり！スープにたっぷり入っているムール貝がめちゃくちゃうまいのである。ちなみにムールはフランス語でムール貝のことである。

市場で並んでいるものを見るのが好きです

SLRIMI-SONTAN-PYRSTOSA SLRIMP-TAILED SCAMPIN 30も／kg

すごいカラーのえびも見つけてしまった。スカンピはヨーロッパアカザとび身のことも指す。口まはどんなかんじなったのだろうが……

カフェ以外で印象に残ったスポットも記録。暖色を多めに使って、マーケットの賑わいを再現した。

カイヴォ・プイスト公園
Kaivopuisto

60

ワンスポットだけ取り上げる大胆なレイアウト。たっぷりの余白で建物の存在感の大きさを表現。

カッリオ 教会
Kallion Kirkko

61

縦長のレイアウトにスケッチして、『カッリオ教会』の高層ビルのような佇まいを強調している。

エスプラナーディ公園、冬ならではの美しさ。

『エスプラナーディ公園』の朝・昼・夜の時間の移り変わりがわかるように、時計回りに写真を配置。

フリーランスの最大にして最高の自由、
それは時間を有効活用できることだ。
しかもスケッチトラベラーの私にとっては、
旅とはインプットであり知的好奇心
を満たす手段であり創造のための
仕入れである。

つまり旅をしていればいい。
ムダなもの何もない、そんな過ごし
方ができるのだ。

今回のフィンランド旅行もは、rotring
のisographで線を書いてみた。細くて
固い線は、かなり細かい表現がで
きる。またモレスキンのTWO GOノートブックは
ヴォヤージュールと同じサイズで、左がプレーン、
右がルールというデザインが便利だ。

そしてこの万年筆はLAMY SAFARIである。
何と書きやすいのだろう。文字もつらつら
が進で、思考と直結したような気分に
なる。

年に2回→3回とでて、あとは滞在を
1ヶ月にしていきたい。実現はすぐだ。

年に2回の海外へ

「あとがき」のような文章と、制作に使った道具について綴った。このページはラミーの万年筆を使用。

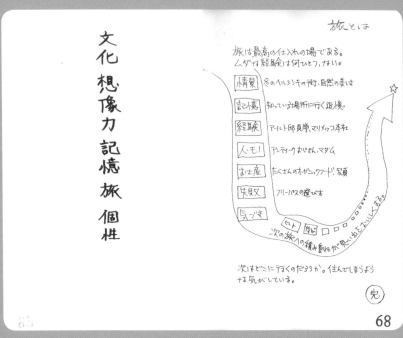

「旅とは…」と題したこのページでは、今回の旅で得た収穫をメモ。キーワードを並べて図版化した。

最後は現地でスケッチした作品と、散策で使っていた地図をコラージュ。当時の記憶がリアルに蘇る。

極めるための
「自己表現の公式化」

1. プロフェッショナルへの道を歩く

　スケッチジャーナルを通じて創作活動の芸術性が高まると、次第にあなたは他人から注目され始め、時には想定外の反応の多さに驚くことになる。僕もスケッチブックから手帳やノートにキャンバスを移した時やイラストレーター専門雑誌に掲載された時、僕の作品を見た人からのリアクションが増え、「意外な展開があるものだな」と驚いた。そして反応が多くなると、「作品をもっと人前に出したい」という気持ちが芽生えてくる。作品に磨きをかけるため、他人の反応を参考にしようとするのは自然で前向きな試みだ。

　作品を発表するうち、手帳やノートを使った創作スタイルを超えて「絵を描く行為を極めたい」と考え、アクリル画や油絵、日本画に本格的に取り組む人が出てくるかもしれない。スケッチジャーナルを作って自分の画風を確立した後に、技術を磨いてプロのイラストレーターになった人もいる。そんなふうに、創作に目覚めたアマチュアの人たちがスケッチジャーナルの活動を経て、何らかのクリエイターになっていくことは意外性があって痛快だ。僕もそのような成長過程を経てきたひとりだから、あなたの創作活動の広がりもぜひ、応援したい。

　僕は独学で水彩画を始めてアクリル画に転向し、モレスキンのノートに出合ってからは文具や画材を使ったスケッチジャーナルの研究と実践を行うクリエイターとなった。今でもパラレルキャリアで会社員を続けながら、イラストレーターとして仕事を受けることもあるし、原稿を書くライターやワークショップの講師、実演販売のプレゼンター、トークショーの司会を行うこともある。これらの活動はごく一般的で、決して特徴的な内容ではない。それでも、自分のための創作活動を越えてさらに一歩先に進むため、僕が模索しながら歩んできた道がプロフェッショナルを目指す方にとって少しでも参考になると嬉しい。

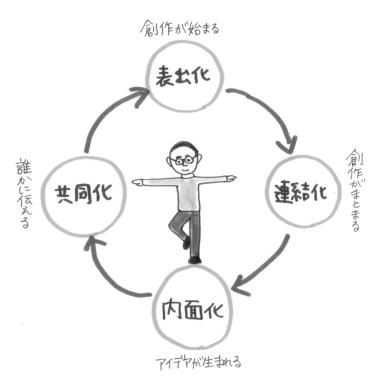

図中の文字：

創作が始まる

表出化

共同化

連結化

誰かに伝える

創作がまとまる

内面化

アイデアが生まれる

師匠がいないあなたは人から指摘されるのではなく、自分で成長に気付いていくだろう。まず、作品を生み出す（表出化）。創作を続けていると、だんだんと自分のスタイルが整う（連結化）。試行錯誤の上にアイデアを考え付く（内面化）。そして、何かのきっかけで誰かに伝えたり目撃されたりして、互いに影響を与えていく（共同化）。

2. 自己満足を越えるための3つのプラン

ミッション（目的）

　クリエイターになる過程では、自己満足から脱却しなければならない時が来る。そこで、創作活動の目的を改めて確認したい。スケッチジャーナルは「自分の機嫌を良くするために作る」という明確な理由があったが、クリエイターとしてのあなたの活動目的は何だろうか。

　そのヒントを探るのにおすすめの本が、『クリエイターになりたい』（ミータ・ワグナー著、小林玲子訳、柏書房刊）だ。本書ではクリエイターの活動を目的別に、①有名になりたい、②ただただ、つくりたい、③これまでの常識をくつがえしたい、④つくることで癒されたい、⑤アートで世界を変えたい、

という5つのカテゴリーに分けている。

　僕の場合、自分のために描く④からスタートし、②に移行してひたすら制作に没頭し、今は③のためにこの本を執筆している。あなたは自分のオリジナリティによって、どの目的を達成したいのだろう。『クリエイターになりたい』の序章では、「創造性を高めて潜在能力を最大限に発揮したいなら、まず自分が創作する動機を突き止めよう」と指摘している。明確な動機付けが、クリエイターになるための第一歩だ。

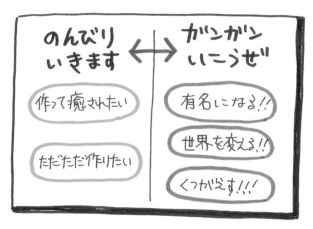

創作活動で注目されると「ガンガンいこうぜ」という気分で突っ走り、活動目的を見失いがちだ。「自分らしくないな」と感じたら、疲れてしまう前にちょっと立ち止まって「自分らしく、のんびり行こう」と気持ちを切り替えよう。

ビジョン（将来像）

　自分が目指す将来像をより具体的に、かつ身近に感じるため、あなたの理想を実現している人物を書き出してみよう。方法は「始める」の章で紹介した「好きの掛け合わせ」と同じだ（71ページ参照）。まず3つの円を重ねた図を描き、それぞれの円の中に理想の人物の名前を1名ずつ記入する。憧れの人や師匠、身近な先輩、好きなアーティスト等、実在の人物から選ぼう。その後、3名の円が重なる中央の部分、そこに位置する人物のイメージを明らかにしていく。

　僕の場合は「心のメンター」として紹介している（211ページ参照）、①イ

ラストレーターのたかしまてつをさん、②世界中の雑貨を収集するコレクター・森井ユカさん、③ステーショナリーディレクターの土橋正さんの3名を設定している。それぞれ、「イラスト」「旅」「ステーショナリー」という3つの僕の「好き」を具現化している方々であり、僕にとって3名をミックスした人物が理想になる。目指すクリエイター像は、あなたの創作活動すべての指針となるだろう。

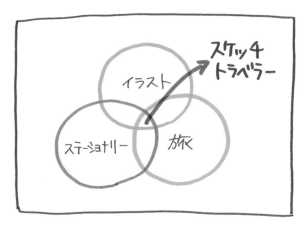

僕の憧れを3つ重ねると、旅をしながら道具で絵を描いて、お金を稼いでまた別のところに旅をする「スケッチトラベラー」というコンセプトが思い浮かんだ。

ポジション(立場)

次に考えたいのが、クリエイターとしてのポジショニングだ。好きな分野をとことん調べる研究者タイプか、誰かに優しく教える先生タイプか、近所のお兄さん・お姉さんタイプか。または、ファンの目線に近い場所にいたいのか。ファンからは距離を取ってカリスマ性を高めたいのか。「そんなことまで考えるのは大げさだ」と思うかもしれない。しかし、ぶれない姿勢と揺るがない考え方を持っていたほうが、人々の信頼を得やすい。

クリエイターの活動を本名で行うのか、ペンネームを使うのかの検討も必要だ。それぞれにメリットとデメリットがあるが、パラレルキャリアの僕はペンネームを用いている。デメリットは郵送・配送の宛先ミスやギャラの銀行振込時の入金ミスが時々発生すること、メリットは自分が設定したキャラクターの特性に応じて行動できることだ。本名で仕事をする会社員時間は、細いフレームで落ち着いた雰囲気のメガネを掛け、真面目で知的なイメージを演

出。ペンネームで活動するクリエイター時間は、丸くて太いフレームの海外製メガネを掛け、個性的で只者ではない雰囲気を出している。キャラクターを使い分ける行為は人生が2倍になったようで面白い。

メガネを替えて、キャラクターを分ける。「オンとオフの自分」という切り替えではなく、「いくつかの自分」を行ったり来たりしている感覚だ。

3. クリエイター活動の事例

個展・グループ展

　キャラクター設定が完了した後は、クリエイター活動を展開していこう。僕の場合はまず、作品を作ってインターネットやSNS、個展で発表することから始め、作品集(ZINE)も制作・販売した。徐々に名前が知られるようになると、雑誌や書籍の取材、ワークショップやトークショーの仕事依頼も受けるようになる。

　自分の活動を振り返ると、やはり個展の開催が作家としての意識を深めたように感じる。最初に個展を実施したのは2012年で、会場は東京・中野区の文具雑貨店『旅屋』の店内の一角だった。海外の輸入文具をはじめ、「旅」をテーマにしたセレクトが面白くて店に通っているうちに店長と仲良くなり、スケッチジャーナルを見てもらった際に「店で展示しませんか」とお誘いを受けたのだ。「僕で良いのか?」という戸惑いがありつつ、準備が楽しくて仕方がなかった。

極める　意識改革

店のコンセプトに合わせて、展示のテーマは「旅の記憶」に決定。作品作りや展示方法の検討、オリジナル商品作り、個展開催の案内、期間中の接客対応等、初めての経験ばかり。当日は壁に作品を並べるだけでなく、スケッチジャーナルの実物も置いて来場者に見てもらった。2回目以降のギャラリーでの個展も同じく、展示作品の元ネタであるスケッチジャーナルを置き、これが好評で来場者とのおしゃべりにも花が咲いた。

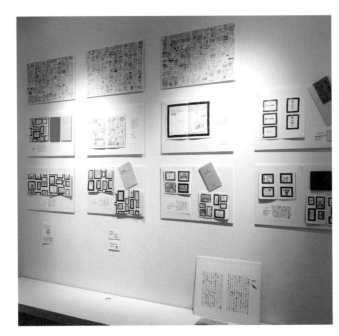

東京の飯田橋・江戸川橋・神楽坂の周辺で活躍するクリエイターが集まり、それぞれ地元を盛り上げるような創作を発表。僕は地域をテーマにしたスケッチジャーナル作品を作って展示した。

　複数のクリエイターが集まって展示する「グループ展」にも参加した。「モレスキンで作った旅日記」や「同じ地域で働く・生活するクリエイター」のように、自分と関連性が強いテーマだと準備や本番を楽しむことができる。一方、たまたま誘われて参加してはみたものの、自分の個性と合わずに浮いてしまう時も何度かあった。当然のことだが、他の出展者目当てのお客さんが、自分の作品に関心を持ってくれるかどうかはわからない。グループ展は、主催者の企画力とネットワーク力がその良し悪しに大きく影響する。主催者の内輪意識が強い場合、自分のファンは呼びにくい雰囲気になることもある。いずれにしても、展示会は開催の目的を明確にしたほうがいい。僕は

作品を展示することに主軸を置いていたが、ファンが付いている作家は作品販売の場として行うこともある。

　まだ知名度が低い段階では、SNSやホームページでの告知だけでは来場者を増やすことは難しいだろう。通りがかりの人はもちろん見てくれないし、友人に商品を買ってもらうのも気が引ける。なにより、「誰も来ない時間」に耐える必要があり、これが精神的に辛いかもしれない。僕は「展示作品をひとりでじっくり眺めるのも良い経験だ」と割り切って過ごした。

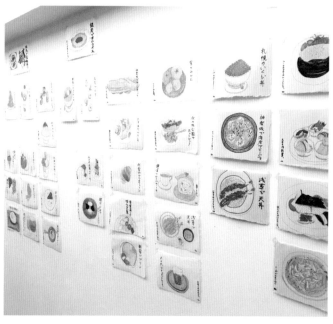

和紙のPRを兼ねたイベントでは、食べ物のイラストを和紙に描いて展示した。和紙の産地によって紙質が異なるので、風合いの異なる絵が完成して面白かった。

ZINE制作・販売
　個展に来場できなかった人のために、展示作品を収録したZINE（ジン）を作り、自分のホームページ経由で販売した。ZINEはMAGAZINE（雑誌）の略で、自費出版物のこと。自分で印刷して手製本した冊子もZINEに含まれる。僕は写真をインターネットにアップロードすると冊子にして届けてくれる印刷・製本サービスを利用した。印刷コストをもとに価格を決定する、注文受付のシステムが必要となる、自分で発送する等、想像以上に多くの作業を行うが、

極める　意識改革

自分の作品をより多くの人の手元に届け、現物の雰囲気を少しでも味わってもらえるのは魅力的だ。

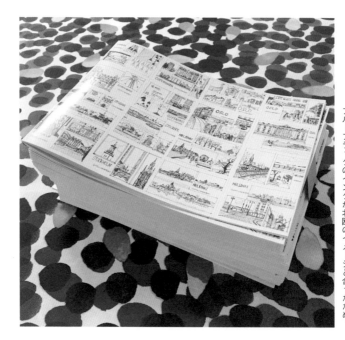

北欧の街並みを、万年筆でスケッチした作品集。各国を旅した10年間の記録が詰まっている。万年筆を使ったのは、ブルーブラックのインクが北欧のイメージと合ったため。

ワークショップ

　個展の開催、ZINEの制作・販売といった能動的な活動を続けると、少しずつ名前が知られるようになり、取材やイラスト制作、ワークショップ等の仕事の依頼を受けるようになる。「依頼者の期待に応えられるか」と不安を覚えるかもしれないが、挑戦する機会&次に繋がるきっかけ作りと捉えて前向きに取り組みたい。中でもワークショップは参加者の反応がダイレクトに伝わるので、そのぶん手応えが大きかった。

　僕が一番こだわったのは、スケッチジャーナル作りを「自分でもできそうだ」と思ってもらえるような取り組みを行うこと。線や図形を描いて慣れた後、徐々に大きな絵を描いてもらったり、サンプルとして僕の作品や道具に存分に触れてもらったり。参加者たちが夢中になって僕の作品を見て、刺激を受けている様子は嬉しかった。一方で、人に何かを教えるにはそれな

りに準備が必要で、当然、ワークショップ当日も時間を費やす。他人に教えることに時間を取られ、新しい作品の制作に取り掛かれないというストレスもあった。もちろん、教える立場には適性がある。もし「自分には合わない」と感じたら肉体的・精神的疲労が大きくなるので、トークショーやセミナー、ワークショップ等の仕事は無理に受けないほうがいい。

「東急ハンズ渋谷店」の文具フロアで行った、ドイツの文具メーカー「スタビロ」の蛍光マーカーをPRするためのワークショップ。バーカウンターのようなスペースで、どのお客さんとも視線を合わせられるスタイルだ。

　作品の展示やZINEの制作・販売、ワークショップやトークショーの実施――どれを行うかは「自分の性格に合うか」「活動内容に合っているか」「目標を達成するために役立つか」を検討した上で、自らの興味関心に忠実に決定したい。例えば、これらの活動を「自身の認知度を向上させるための広報」と捉えるならば、現在の僕の関心は創作活動に向いており、「広報活動よりも、多くの作品を作ることに時間を費やしたい」という気持ちが強いから優先順位が下がる。創作のモチベーションを維持し、クリエイター活動を長く続けるためにも、その時々の状況や心境の変化に敏感になって優先順位を決めよう。

　次ページに、参考までに僕のイラストレーターや作家としての活動内容と結果を記す。

活動の種類	内容
作品の発表	活動：作品をウェブサイトと SNS を使って公開。 結果：制作に使用した文具や画材の各メーカーからアプローチがあり、内覧会等のイベントに招待される。雑誌や本、ウェブマガジン、テレビから取材を受ける。
作品の販売	活動：イベントに出展して作品を販売。 結果：原画、ポストカード、作品集（ZINE）が売れる。編集者からエッセイの連載を依頼される。
個展の開催	活動：ギャラリーや店舗で作品を展示する。 結果：SNS で繋がっている人たちや、創作活動を応援してくれる知人・友人が各地から来場。作品について直接、解説する。
グループ展への参加	活動：別のクリエイターが企画した展示会に参加。主催者が設定した内容に基づき作品を制作。10名程度の参加者とともに展示を行う。 結果：個展の開催と同じ。
ワークショップの実施	活動：イベント催事担当者や売り場の責任者から依頼され、店舗スペースでのワークショップを企画・運営。 結果：実施後、その場で商品がどんどん売れていくという、ダイレクトな反応に刺激を受ける。
商品セレクト	活動：大型店舗や雑貨店の文具売り場に自分専用の特設コーナーを設置し、作品に使用している道具をセレクトして販売。 結果：商品が来店者の注目を集め、売り上げも良かった。
講座の開催	活動：カルチャースクールでスケッチ講座を担当。基礎編と応用編の計5回、実施（週1）。 結果：絵の技法や道具の紹介を含め、スケッチジャーナルの作り方や考え方を共有。受講生たちの創作の扉を開くきっかけ作りを行う。
ライブ配信	活動：オンライン会議システムを使ったトークライブやセミナー、ワークショップ。 結果：場所を必要としないため、日本各地の参加者と交流する。
取材・執筆・イラスト制作	活動：イラストやスケッチ関連の雑誌・書籍の取材を受ける。著書『東京 わざわざ行きたい街の文具屋さん』（G.B. 刊）を執筆。80軒の文具店の取材とイラスト制作を行う。 結果：取材した店やメーカーから、ワークショップの講師や原稿執筆、サンプル作品の制作等、幅広い仕事の依頼を受ける。

ハヤテノ門下生に聞くチャレンジ体験記

テーマ型ジャーナル

実践者：**市川佳世子**（いちかわかよこ）さん

職業：医師　Instagram：@nokto_galaksia_fervojo
愛用道具：アートクリエーション スケッチブック（ターレンス）、ゲルインキボールペン キャップ式（無印良品）、
吉祥顔彩8色セット（吉祥）他

⚊ =ハヤテノコウジ、📗 = 市川佳世子さん

⚊ 市川さんのテーマは「茶道」ですね。和風の色合いが素敵です。

📗 色鉛筆の他にも吉祥の顔料で塗っています。色彩が豊かで、金色や青色等の日本の伝統色が茶道具の雰囲気に合っています。

日本の伝統色に金・銀が加わった「吉祥顔彩」。セットは8色から60色まで、単体で全100色が販売されている。

⚊ 絵具を使うとなると、それに合う紙のノートを選ぶ必要がありますね。

📗 色鉛筆やペンはもちろん、水彩にも使えるターレンスの「アートクリエーション スケッチブック」を使っています。サイズが数種類あり、私が使っているのは正方形のハンディサイズ。ハードカバーでしっかりしているので持ち歩きやすく、外出先でも描けます。

⚊ 茶道をスケッチジャーナルのテーマに選ばれたのは、どのような理由ですか？

📗 10年弱、茶道のお稽古に通っているので、その記録を残したいなと思って。お

炭手前（湯を沸かすための風炉に炭をつぐ作法）の組み方は難しく、冬と夏でも違うのでビジュアルでわかりやすく解説。微妙に異なる配置を描き分け、左右のページで比較できるようにした。

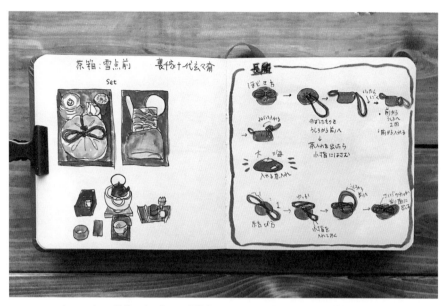

左ページは、茶箱の中に収めた茶道具の図。金色で塗って和風な雰囲気が出ている。右ページは長緒（茶道具を入れる袋）の結び方やほどき方の工程を描き、プロセスがわかるようにした。

稽古の後、復習しながら描くことが多いです。お稽古前の予習に、教科書を模写するのも覚えやすいですね。教科書を読んだり、先生に教わったりするだけでなく、自分でイラストを描くと記憶に残りやすいなと思います。

🄰 なるほど。だから、それぞれの道具の名前や解説も書いているんですね。

🄼 お稽古の記録が後々、辞書のようにして使えたり、誰かの練習帳として役に立ったりすると嬉しいですね。茶道具だけでなく、お花や掛け軸等の茶室の様子や和菓子も描いていきたいです。

🄰 「記録しよう」と思うと、興味も広がってお稽古がより楽しめそうですね。

🄼 前よりも集中できるようになりましたし、絵を描いて記録に残すことで満足感が高まりますね。充実したお稽古の時間を過ごすことができ、後で描くこ

とによって理解が深まり、見返した時に楽しかった時間が再現されます。

🄰 スケッチジャーナルは〝究極の自己満足ツール〟ですからね。市川さんはそれを体現されているなと思います。

🄼 ありがとうございます。スケッチジャーナルはハヤテノ先生の講座を受けてから始め、3年ほど続けています。茶道のテーマ型ジャーナル以外にも、日々のちょっとした記録を残しています。コロナ禍で外出が難しくなり、テレワークで家に籠もりがちな日々も、近所を散歩して道中で見つけたものを描いていました。おかげで、日常の中でもささやかな楽しみを見つけること、そして何気ない日々の大切さを感じやすくなったと思います。

🄰 スケッチジャーナルが癒やしをもたらすきっかけになっていて嬉しいです。

絵の具も使えるノートタイプのスケッチブック、いいですね！
習ったことを図解すると記憶に残りそう。茶道ノートが1冊埋まるのが楽しみですね！

スケッチジャーナルの
誕生ヒストリー

サラリーマンの僕が、
独学でイラストレーターになるまで

とにかく病院内を観察し、自分の
心境も重ねながらその様子を描
き留めた。リアルな描写は、当
時の辛さや痛みを思い出させる。

社会人になってから
絵を描き始める

　広告会社のプランナーとして働いていた20代後半の夏、僕は自然気胸という肺の病気にかかってしまった。夏休み最終日の深夜1時頃、毎晩欠かさずに行っていた就寝前のストレッチの途中、左胸に激痛が走った。どこか筋肉でも痛めてしまったのかと思いながら警戒すると痛みが広がり、息をするだけで苦しい。僕は本能的に栃木の実家へ帰ることを決断し、翌日の早朝に実家近くの駅に到着、そこから親に連れられて病院へ向かった。

　診察の結果、即入院。その日から僕は空気を送るための特殊な器具を体に付けた状態で過ごしたが、手術後に器具が外され点滴だけになった時、ようやく心に少しだけ余裕が生まれた。体は痛いけれど時間がある。でもテレビを見続けるのは辛い。そこでふと思い付いたのが、時間つぶしに絵を描くということ。そうして僕は小学生以来、久しぶりにスケッチブックに向き合って絵を描き始めた。

　病院は観察対象の宝庫だ。同室の患者の特徴や人生模様、医師や看護師のタイプ等を記録し、絵と文字を組み合わせた絵日記風のスケッチ集が完成した。そして退院後も新しいスケッチブックを買って水彩画を描き、今現在に至るまで約20年間、道具は変えながらも僕は絵を描き続けている。

　いったい、これはどういうことなのか。もしかしたら、入院するまでは自分を顧みず突っ走って来た僕に、「いったん、立ち止まって自分自身と向き合ってみたらどうか?」と伝えるための、神様によるショック療法だったのかもしれない。この入院がなければ、僕は大人になってから絵を描くことはなかっただろう。ちなみに入院当時、使っていたスケッチブックは、母親が「子どもの頃によく描いていたから、時間があるならやってみ

たら?」と持って来てくれたものだったと記憶していた。ところが
その話を母親にすると、僕から「スケッチブックを買ってきてほ
しい」と頼まれたというのだ。この、ちょっと不思議な記憶の揺
らぎは今でも面白く感じる。

友人ゼロだった僕に
仲間ができる

　退院後、3か月にわたるリハビリ期間の生活は痛みをともなう
ものだった。「リハビリ中は、なるべく空気のいいところで過ご
すように」と医師に勧められたため、僕は当時住んでいた東京・
板橋区から自転車に乗って埼玉県の荒川彩湖公園へ通った。

　現地に着くやマルマンのスケッチブックを開き、木々と芝生
の緑や池の風景、空の模様を描く。最初に使った画材は、ぺん
てるの「アクアッシュ」（現在は「ヴィスタージュ みず筆」に名称
変更）。水を入れることができる筆と、水彩色鉛筆がセットに
なった便利アイテムだ。ボトルに入れたホットコーヒーを飲んだ
り、持参したカレーを食べたりしながら外で絵を描くのは気持
ちが良く、夢中になって絵を描いている時は痛みを忘れること
もできた。リハビリ期間を終えた後も、新宿の画材・文房具専
門店『世界堂』で水彩絵の具と筆を購入し、水彩画を続けた。
棚にずらりと並ぶ画材に見とれつつ、自分にとって必要な一
品を探し出す楽しさも知った。

　当時はまだ、SNSもない時代。僕はどうにか自分でコードを
打ち込んでホームページを作成し、休みの日になると自分の好
きな京都の神社仏閣を訪ねて写真を撮り、その写真を絵にし
てホームページに公開するようになる。その後、ホームページか
ら閲覧者とコメントでやりとりできるブログに移行。京都が題
材ということもあって、ブログにアップするのは石庭や苔など

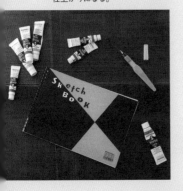

マルマンの「図案スケッチブック
B5」、ターナー色彩の「A.アクリ
ルガッシュ」、ぺんてるの「ヴィ
スタージュ みず筆」。みず筆は軸
部に水を入れて使い、色鉛筆に
重ねて塗ることで水彩画のような
仕上がりになる。

和の風情を表現した渋い水彩画ばかりだった。しかし僕のよう
に京都をテーマにした絵を公開する人は珍しく、同じように京
都が好きなブロガーと徐々に知り合いになる。京都で何度もオ
フ会が開かれ、京都在住のブロガーとも交流し、そのうち観光
目的ではなく友人に会うために京都へ行くようになった。

　次第に、僕はより鮮やかな絵が描きたくなり、水彩画からアク
リル画に移行。初めてターナー色彩のアクリル絵の具で塗っ
た時、とても色鮮やかで「自分が求める表現ができそうだ」と
大きな喜びを感じた。こうして創作の幅が広がるにつれ、ブロ
グでの公開を通じて人との出会いや仲間も増え、自然と行動
範囲も広がっていく。かつて、ただ気分転換で始めた創作が、
自分の人生に少しずつ良い影響を与えていると感じ始めた30
代前半だった。一方の仕事や家庭では、本来の自分らしさを出
し切れていないストレスがあり、創作に癒やしを求めていた部
分もあったように思う。

彩湖の風景（水彩画）
制作：1999年
道具：図案スケッチブック B5（マルマン）、水性ドローイングペン（パイロット）、ヴィスタージュ みず筆
　　　（ぺんてる）

気持ちのいい風を受けながら、湖の前でスケッチした作品。「ヴィスタージュ みず筆」は、スポ
ンジにならすと筆に付いた色が落とせるので水洗いをする必要がなく、外出時にとても便利だ。

等間隔に座る人々（アクリル画）
制作：2008年
道具：図案スケッチブック B5（マルマン）、水性ドローイングペン（パイロット）、A.アクリルガッシュ
　　　（ターナー色彩）

京都をテーマにした作品。京都の鴨川に行くと、たくさんのカップルが均等間隔に座って
いた。「なんだか不思議な光景だな」と思って撮影し、後で写真をもとにスケッチした。

［　創作スタイルの確立　］

スケッチブックから
手帳へキャンバスを移す

　2010年5月、晴天の空の下。僕は東京・豊島区にある会場
で、所有する本と自分が描いた絵を売っていた。SNSで参加
募集の知らせを見て、直感的に「出てみようかな」と思った古
本市だ。当時の僕はアクリル絵の具で描く創作スタイルがで
きあがってきた頃だったため、試しに作品を額縁に入れて出
し、人々の反応を見てみたいと考えた。この古本市は、古本
を販売さえすれば自分の作品を売ってもいいというルール。そ
こで、京都観光や東京散策をテーマにした蔵書を並べ、それを
きっかけにお客さんと会話をしながら絵のアピールに励んだ。

作品は相変わらず日本庭園や盆栽をモチーフにした渋めのテイストだったが、想像以上に絵が売れていった。絵の販売はこれが人生初なのに。家族への誕生日プレゼントとして買ってくれたり、亀の絵を集めているという理由で亀モチーフの絵を選んでくれたり。なんとも不思議な気分だったが、僕の作家デビューはなかなか嬉しい結果に終わった。

この時、売り物ではなかったけれど、古本や作品と一緒にモレスキンのノートも添えていた。モレスキンとはイタリアの手帳ブランドで、ハードカバーの黒いノートが有名。これを手に取って、中に描いていた僕のスケッチを見た人たちが、「これは売らないのか」「なかなかユニークだね」と褒めてくれたのも意外だった。このようなイベントに出るようになって少しずつ手応えをつかんだ僕は、一般的なスケッチブックやイラストボードから、モレスキンのような手帳やノートにキャンバスを移していく。

直接販売は、お客さんの反応がダイレクトに伝わるので面白い。無造作に置いていたモレスキンのノートが、意外にもお客さんたちに注目された。

モレスキン　自分の作品。　本・雑誌。

祇園祭のころ　京都の夏を楽しむ（アクリル画）
制作：2009年
道具：図案スケッチブック B5（マルマン）、水性ドローイングペン（パイロット）、A.アクリルガッシュ（ターナー色彩）

アクリル絵の具は水で溶けるが、乾燥すると耐水性になる。乾きが速く、鮮やかな色が特徴だ。京都で過ごした夏の思い出の数々を、△や□のフレームの中に描いている。

鴨川さんぽ（アクリル画）
　制作：2009年
　道具：図案スケッチブックB5（マルマン）、水性ドローイングペン（パイロット）、A.アクリルガッシュ（ターナー色彩）

　広い空間を生み出す鴨川の風景と、そこで時間を過ごす人々の動きを捉えたかった。

大徳寺の松（アクリル画）
　制作：2009年
　道具：図案スケッチブックB5（マルマン）、水性ドローイングペン（パイロット）、A.アクリルガッシュ（ターナー色彩）

　松の枝が左右に伸びて交差する様子が気に入った。奥の松は省略して余白を表現している。

手帳に「自分らしさ」を表現する

僕がモレスキンに絵を描いてみようと思ったのは、2009年に東京・表参道の『MoMAデザインストア』で開催されていたモレスキンの世界巡回展『Detour』を観たのがきっかけだった。この展示では、国内外のクリエイターが実際に使っているモレスキンのノートがアクリルケースの中に飾られていた。

「自分らしさ」が表現された、分厚いノートの数々。もともとモレスキンの存在は知っていたが、そこに表現するという概念がなかった僕にとって、それらの作品は知的好奇心を大いに刺激されるものだった。僕はその足で画材店に行き、モレスキンを購入。そして、手元にあったマーカーやペンを使って気になるモチーフをスケッチしたり、アクリル絵の具を塗ったりして夢中になって実験を繰り返した。そのうち、パイロットのドローイングペンで線を描き、スタビロのマーカーで着彩するという描き方が定着。これらの文具はモレスキンとの相性が良く、自分が描きたいものを表現できるベストな組み合わせだった。さらには色鉛筆も活用し、マーカーの鮮明さと色鉛筆のやわらかさを併用した独自の表現方法にたどり着く。これらの作品は『モレスキン絵日記』というタイトルで、ネットやSNSで公開した。

僕が今でもよく描くのは、散歩や旅行の思い出を記録するスケッチログ。このスケッチログの面白さを体感したのは、以前に訪れた北京のリゾート地を描いた時だった。水彩画やアクリル画のように下書きをせず、北京で撮った写真をもとにドローイングペンで一気に描き上げるスタイル。この時、現地の情景が一気に蘇り、過去の体験をもう一度味わうような楽しさを覚えた。それからは、この創作スタイルが定着している。現地で滞在中に描くこともあるが、基本は描く素材として気になるモチーフを撮影し、後で写真を見ながら制作している。

モレスキンの「アートコレクション スケッチブック」に、パイロットの「水性ドローイングペン」で線を描き、スタビロの「ペン 68」とカランダッシュの「スプラカラーソフト」で着色。これは、僕にとってベストな組み合わせだ。

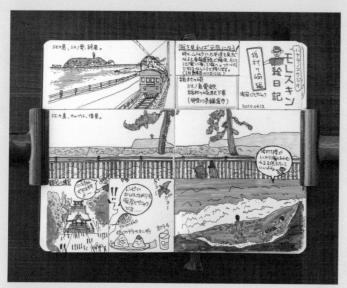

モレスキン絵日記　稲村ヶ崎編

制作：2010年
道具：アートコレクション スケッチブック ポケット プレーン（モレスキン）、水性ドローイングペン（パイロット）、ペン 68（スタビロ）

線で区切って分割したレイアウト。鎌倉エリアのお気に入りの写真をもとにスケッチした。

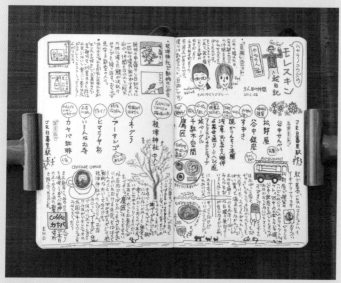

モレスキン絵日記　東京散策編

制作：2011年
道具：アートコレクション スケッチブック ポケット プレーン（モレスキン）、水性ドローイングペン（パイロット）、ペン 68（スタビロ）

SNS で知り合った散歩＆イラスト好きの仲間と一緒に、谷根千エリアを散策した時の絵日記。

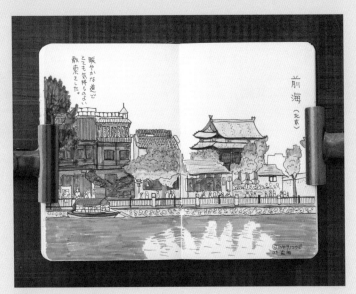

北京のリゾート地の夕暮れ時
制作：2010 年
道具：アートコレクション スケッチブック ポケット プレーン（モレスキン）、水性ドローイングペン（パイロット）、ペン 68（スタビロ）

天気のいい 5 月の夕暮れ時に訪れた北京の湖。スケッチログの楽しさを体感した作品だ。

[個性を重視する人々への共感]

日本全国のモレスキン ユーザーとの交流

　創作のアイデンティティが明確になり、モレスキンを使ったアートを創作する日々。SNSとブログを使って作品を発表するうち、僕はモレスキンユーザーを紹介するメディアから取材を受けるようになった。やがて、メディアを通じて僕と同じようにモレスキンを使って表現する人々に出会い、交流するようになる。新たなステップアップの準備をモレスキンに書いたり、自分の思いを綴ったり、ライフログを記録したり、僕と同じようにアートを創作したり、使い方は人それぞれ。そして、誰かと同じではない「異質性」と、集団から距離を置いて「個性」を大切にする彼らの考え方と生き方に強い共感を覚えた。

札幌、名古屋、静岡、金沢、大阪、京都など、モレスキンユーザーによるオフ会は日本各地で開催され、参加者はみな、自分のモレスキンを持参。それは「人生が詰まったプロフィール」でもあり、モレスキンを見せてもらいながら聞く他人の人生や体験談はとても興味深いものだった。東京の代々木公園で1日中語り合ったり、会議室を借りてミーティングをしたり、作品を展示する企画を一緒に開催したり。メンバーは僕も含め、普段はあまり集団行動をしないような個性派ばかりで、年齢や立場、職業もさまざまだ。そうした集まりはユーザーの間で「モレミ（モレスキンミーティングの省略）」と呼ばれ、会の終わりには各自が持ち寄ったモレスキンを重ね合わせ、できるだけ高いタワーにして記念撮影するというのがお決まりだった。この「モレスキンタワー」は世界中で行われているが、もともとは日本のモレスキンファンが始めたもの。今では、モレスキン以外のノートや手帳でも行われるようになっている。

メンバーのモレスキンを積んだタワー。みんなで考えながらバランスを取って配置するのが楽しい。

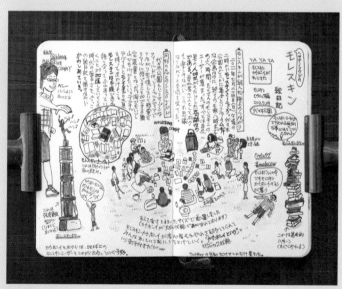

モレスキン絵日記　モレスキンピクニック編
制作：2011年
道具：アートコレクション スケッチブック ポケット プレーン（モレスキン）、水性ドローイングペン（パイロット）、ペン 68（スタビロ）
2011年に代々木公園で行われた、モレスキンユーザーのオフ会の様子を描いたもの。

パラレルキャリアの
イラストレーターになる

『イラストノート No.31』
誠文堂新光社刊

特集「『旅』スケッチブックを持って旅にでかけよう。」の中で、専業のイラストレーターたちにまぎれて自分も登場。夢中で絵を描き、発表し続けてきた結果、今の自分が存在していることに感動した。

　アートの素人が、会社勤めをしながら創作活動を行う。そんな自分にとって困ったのは、自己紹介する時の肩書きだ。少しずつ自分の存在が知られるようになり、創作活動も趣味の範囲を超えていた僕は、自分の立場を示す言葉がほしくなった。モレスキンユーザーの間では「モレスキンアーティスト」と呼ばれていたが、それはコミュニティの中だけで通じるもの。とは言え、ぴったりな肩書きが思い付かず、立場が曖昧なまま作品を発表し続けていた中、イラストレーター専門雑誌『イラストノート』（誠文堂新光社刊）の取材依頼を受ける。

　その中の「旅」の特集で、僕は「旅のグルメを描くイラストレーター」として掲載される。各分野のイラストレーションで活躍するプロフェッショナルたちとともに、独学で学び、我流な手法を続ける自分が「イラストレーター」として取り上げられたのである。この露出の反響は大きく、同じようにサラリーマンでありながらイラストレーターを目指しているという方から連絡が来たり、イラスト仕事の依頼が来たりと、今までとは異なるアプローチが増えた。

　一方で、当時はサラリーマン業でも新規事業担当という責任のある仕事を任されていた頃。多忙によって神経をすり減らす日々が続き、毎日帰宅が遅くなり、週末の数時間しか創作活動の時間が取れない状況が続いていた。まだ「パラレルキャリア」という言葉も知らなかった僕は、上手く時間の舵も取れない。結果、せっかくのイラストの仕事の依頼もお断りすることが続き、徐々にオファーは減っていった。

　当然、チャンスを活かし切れないで成長の波に乗ることはできない。どんどん運気が下がっていくような気分……なんとか挽回しなければならない。焦りを覚える中で気分転換に絵

だけは描き続けていた僕は、作品をまとめて小冊子を作り、自分のウェブサイトで販売した。これはZINEと呼ばれる自費出版のようなもので、当時、ちょうど流行していた。日々描いた作品をスキャンして、データをネットプリントのサービスにアップロードし、ネット上でレイアウトして印刷・製本を依頼するだけ。SNSで告知すると幸いにして注文が次々と入り、すぐに完売。手応えを感じた僕はその後もいくつかのシリーズを制作し、おかげで旅行雑誌の連載が始まったり、手帳スケッチに関する書籍への一部執筆依頼が来たりとイラストレーター業の新たな展開に繋がった。会社員業が忙しくなると、イラストレーター業も活発になる。つまり、「成長と拡大のチャンスの波はまとめてやって来る」ということ、その波に備えておく重要性、決して運気を逃さないという強い気持ちを、当時の経験とともに今でも忘れていない。

　ちなみに僕は、イラストレーターの活動とサラリーマン業を並行するために、書籍『パラレルキャリア　新しい働き方を考えるヒント100』(ナカムラクニオ著、晶文社刊)から多くのヒントを得た。アートディレクターのナカムラさん(214ページ参照)は、仕事をライスワーク(食べるための仕事)、ライフワーク(人生をかけた仕事)、ライクワーク(趣味を生かした仕事)の3つに分けて、複業ならぬ「福業」を作っていこうと提唱されている。僕はライフワークとライクワークが混ざり合った状態にあり、それとライスワークのバランスを取ればいいのだと自分の状況を整理・把握することができた。

『パラレルキャリア
新しい働き方を考えるヒント100』
ナカムラクニオ著、晶文社刊

僕の〝心のメンター〟のひとり、ナカムラクニオさんの著書。会社員のままイラストレーター活動を続けるためのヒントをたくさん得た。

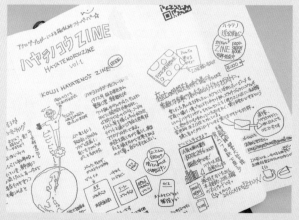

自分の活動をまとめたZINE。プロフィールや愛用するモレスキンについて綴っている。

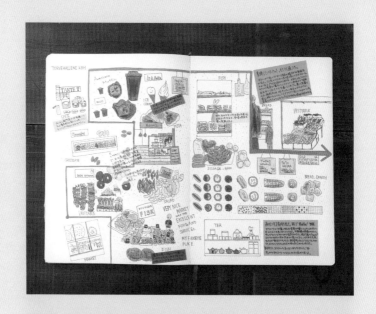

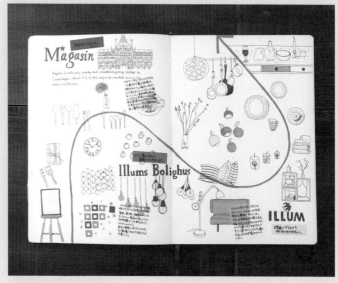

北欧スケッチ（ZINE に収録）
制作：2012年
道具：アートコレクション スケッチブック A4（モレスキン）、水性ドローイングペン（パイロット）、ペン 68（スタビロ）

デンマークの首都コペンハーゲンの老舗百貨店で見掛けた家具や雑貨、グルメ等の素敵なモチーフの数々をスケッチ。鮮やかな発色が特徴のスタビロのマーカー「ペン 68」で色付けした。ページをまたいで描いたオレンジの矢印がアクセントになっている。

自分だけではなく、
誰かの「創作の扉」を開く

それまでは、自分ひとりで試行錯誤を重ねるシンプルな活動が中心だったが、徐々に自分の考えや視点を人に伝える仕事のニーズが高まる。文具メーカーから依頼を受け、特定のプロダクトを使った作品展示や、文具の使い方・楽しみ方をお客さんに伝えるワークショップやトークライブを多く担当した。中でも2017年、大阪『阪急うめだ本店』で行ったトークライブは、自分が今まで取り組んできた創作活動の意義に気付くきっかけとなる。

『阪急うめだ本店』で行った、バーカウンターのようなステージでのトークライブ。参加者全員の顔が見渡せるので、気を配りながら説明できた。

トークライブの主催者から求められたのは、「90分で手帳スケッチの楽しさを解説する」こと。そこで僕は資料を準備しながら、それまで自分の内にだけあり、分散化していた創作の考え方や実践方法を体系的にまとめた。その過程で、ただ自分のために独学で続けてきた僕だからこそ、創作の楽しさを伝え、誰かの創作活動の「はじめの一歩」を後押しできるのではないかと考え始めたのだ。

2018年からは「自由大学」という大人のためのカルチャースクールで、スケッチの講座も担当。受講生には、スケッチの技法や道具の紹介だけではなく、「何のために描くのか」「どうやって継続させるのか」「創作を自分の人生にどう生かすのか」等、各々の創作活動の意義を見出すことも提案。SNS社会で揺らぎそうになるアイデンティティを、手を動かす創作活動を通じて取り戻し、他人と比較しない自己受容の精神を受講生たちに共有したかったのだ。

講座を通じて完成した作品は、世界で一冊しか存在しない「自分の本」になる。完成品だけではなく、制作過程や振り返りも有意義だ。道具選びやアイデア出し、材料集め、作品を見返す時間、そして絵を描く行為自体が自己肯定感を

大人の学びの場「自由大学」の教室の様子。講座の参加者は毎回、課題で取り組んだスケッチジャーナルを楽しく見せ合った。

高め、自分自身を上機嫌にしてくれる。僕は、この日誌を「スケッチジャーナル」と呼ぶことにした。

　そして僕は今、本書を手に取っていただいたあなたに、「今を生きる」多くの人に、スケッチジャーナルの手法や考え方、その制作を通じて創造する新たな暮らしと自分らしい生き方を提案したいと考えながら、自分の成功体験や失敗、反省も踏まえて筆を走らせている。もちろん、スケッチも描き続けながら。

勝手に自分の「心のメンター」を設定する

　パラレルキャリアの働き方を身に付けた頃、自分にとって理想の創作ライフを実践されている先輩たちの生き方も参考にしたいと考えた。美術学校を出ているわけではなく、独学でささやかなアートを続けてきた自分には、目標や心の拠り所が必要だったのだ。

　勤めている会社にも、直属の上司以外の好きな先輩に師事できる「メンター制度」があった。僕は企業ロゴやコピーライティングで実績のある先輩に師事し、デザインについて学ぶだけでなく、自分のキャリアについても相談できてたいへん有効だった。

　「自分のアート活動でも、仮想のメンターを作ってみよう」。そう考え、尊敬する身近なクリエイターやアーティストを「心のメンター」に設定し、映像や文献を通じて、中には実際にお会いして生き方や考え方、創作スタイル等を吸収していく。以下の方々は、これまで特に僕が（勝手に）お世話になってきた尊敬する師匠たちだ。

メンター①

泉 麻人 さん　コラムニスト
<small>いずみ あさと</small>

「理想の執筆スタイル」を見せてくれる人

　泉さんは東京の歴史や昭和の文化について造詣が深く、著書も多数ある有名なコラムニスト。僕は大学時代から社会人初期にかけて、コラムニストという職業に憧れていた。

　最初に読んだ泉さんの作品は、バブル時代のトレンドをまとめた文庫本『ナウのしくみ（1）』（泉 麻人著、文藝春秋刊）。世の中を観察することが趣味の僕にとって、社会の傾向をつかみ取る泉さんの鋭い視点や切り口があまりにも興味深く、購入したその日の夜、夢中になって読んだ。気になったことをのんびりした文体で描写し、深い知識や経験と照合しながら場所やモノ、人への愛着を語るそのスタイルは、今でも文章の書き方の参考にしている。時々、泉さんの『大東京23区散歩』（講談社刊）をバイブルに、23区を散歩してスケッチのネタを集めるのも楽しみのひとつだ。

メンター②

土橋 正 さん　ステーショナリーディレクター
<small>つちはし ただし</small>

「文具と共にある豊かな暮らし」を教えてくれる人

　実用的に使うだけでなく、大人の趣味としても認知されている文具。土橋さんは、そんな文具の解説や商品開発を手掛けるステーショナリーディレクターだ。僕は土橋さんが発行するメールマガジンの購読をきっかけに、直接お会いして交流させていただく機会を得た。静かに文具を解説する文体のイメージとは異なり、実際の土橋さんは背が高くてファッションや道具にもこだわりがあり、ノリが良くてパワフルな方だ。

　僕の創作活動に欠かすことのできない文具について、土橋さんからは「実用的で機能性を楽しみながら、同時に日々の暮らしを上質にするアイテムである」という"土橋イズム"の薫陶を受けた。商品の品質や特性を理解することはもちろん、商品

が生まれた経緯やブランドの重み、コンセプトを知り、その文具が「自分の暮らしにおいて何を実現してくれるのか」を意識することで一つひとつに愛着が湧く。土橋さんから文具との向き合い方と付き合い方を教わったのだ。

メンター③
森井ユカ さん　雑貨コレクター、立体造形作家
「好きを追求する姿勢」を見習いたい人

　森井さんは立体造形作家として仕事をしながら、デザイン学校でキャラクターデザインを教えたり、スーパーマーケットの店舗や商品の違いを研究したりと、自分の好きなテーマを仕事にする天才だ。創作活動やイベントへの参加、新聞への寄稿、本の出版等の積極的な活動と、「好き」を躊躇せずに追求する森井さんの姿勢にはいつも刺激をいただいている。

　北欧旅行の事前準備として読んだ『スーパーマーケットマニア　北欧5ヵ国編』（森井ユカ著、講談社刊）が、ご本人を知るきっかけだった。その後、森井さんが「自由大学」という大人のカルチャースクールで講座を担当するというので申し込み、1か月かけて森井さんのアイデアスケッチ術を学んだ。僕がスケッチを独学以外で習ったのは、これが最初で最後である。森井さんの講座での教えは、僕のスケッチジャーナルの考え方や自習方法にとても影響を与えている。

メンター④
たかしまてつを さん　画家・イラストレーター
「絵を描くなりわい」を実現する憧れの人

　優しく穏やかで、いつもニコニコしている人、そんなイメージのあるたかしまさん。森井さん、たかしまさん、そして僕は書籍『手帳で楽しむスケッチイラスト』（エムディエヌコーポレーション刊）で取材を受け、この本の出版トークショーに3人で登壇した。自分の手帳やノートに、どのようにスケッチやイラスト

を描いているのかを語り、それぞれの使い方が個性的でお客さんも夢中になって聞いてくれたのを覚えている。その後の打ち上げで意気投合し、僕の「自由大学」の講義にもゲスト出演していただいた。

　たかしまさんは、絵本やマンガの賞を数多く受賞されている実績があり、大ベストセラー『ビッグ・ファット・キャットの世界一簡単な英語の本』（幻冬舎刊）でイラストを担当している大物だ。イラストだけでなく絵本の絵を担当したり、4コママンガを描いたり、アトリエとカフェを兼ねたお店を海の近くに開業して作品を発表したり。そんなプロフェッショナルなたかしまさんだからこそ実現できる、絵を描いて暮らす生活スタイルに憧れを抱いている。

メンター⑤

ナカムラクニオ さん　『6次元』店主、アートディレクター

魅力的なアーティストであり続ける目標の人

　僕が文具コミュニティに顔を出していた頃、「文具好きの著名人のサプライズパーティがある」ということで友人に連れられて行ったのが、東京・荻窪にある『6次元』だった。初めて入った時は、「カフェなのか本屋なのかイベントスペースか、いったい何だろう？」という疑問が、脳内で何度もリピートしたことを覚えている。ここの店主が、ナカムラクニオさんだ。不思議なお店の魅力と、その空間を創り出すナカムラさんご自身に惹かれ、その後も何度か『6次元』でのイベントに参加した。

　ナカムラさんは映像ディレクター出身で、金継ぎの講師をしたり、美術関係の書籍を執筆したり、新しいライフスタイルを提唱したりするほか、『6次元』で行われる数々のイベントを魅力的に見せるコーディネーターも務める。芸術に触れたい人を応援するだけでなく、ご自身のやりたいことを発信してどんどん形にする積極的な姿勢、創作を通じて魅力的なアーティストであり続ける姿に、「僕自身もそうありたい」という自分の理想像を重ね、クリエイターとして尊敬している。

メンター⑥
山下賢二 さん 『ホホホ座』座長
(やましたけんじ)

魅力を感じずにはいられない同世代の人

　京都・左京区の北白川という場所にあった書店『ガケ書房』(現在は移転して『ホホホ座』に改名。店が移転・改名する経緯は『ホホホ座の反省文』(山下賢二・松本伸哉共著、ミシマ社刊)に詳しい)。初めて行った時、ミニ・クーペが外壁に突っ込んでいる個性的な外観に驚き、その後も京都旅行では必ず立ち寄るようになった。山下賢二さんは、その『ガケ書房』の店主だ。店の移転・改名後、山下さんによる独白本『ガケ書房の頃』(山下賢二著、夏葉社刊)を読んで以来、僕自身、山下さんと同じ1972年生まれということもあって、その活躍に注目している。

　2019年に出版した自著が、『ホホホ座』に置かれた時には感動した。僕は山下さんの本のセレクションも好きで、京都になかなか行けないため通信販売を利用している。『ホホホ座』は山下さんを含め、4名の座員による編集企画グループで成り立っている。個性的な専門家たちとコラボレーションするプロデュース力や、書店経営(正式には土産屋だそう)が時に厳しくなる状況下でも、日常を楽しみ、何か面白いことを始めようとする行動力に憧れつつ、その姿にいつも励まされている。

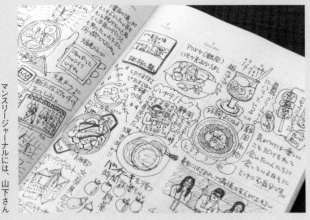

マンスリージャーナルには、山下さん著書『ガケ書房の頃』の読書記録も。

たかしまてつをさん

画家、イラストレーター。99 年イタリア・ボローニャ国際絵本原画展入選、05 年ほぼ日マンガ大賞、二科展デザイン部イラストレーション部門特選賞。代表作に『ビッグ・ファット・キャット』シリーズ（幻冬舎刊）、『ブタフィーヌさん』（ほぼ日刊）等。

ハ＝ハヤテノコウジ、た＝たかしまてつをさん

ハ たかしまさんは、手帳をプロデュースされていますよね。

た はい。干支をモチーフにした手帳で、2021年で5冊目になりますね。

ハ マンスリーだけじゃなく、ウィークリーもマスになってるんですね。

た 描く時のサイズ感になじんでもらえたら、週間でも月間でも使いやすくなると思って。

ハ 「書く」だけではなく「描く」ことも前提にしているのが、たかしまさんらしいです。

た 手帳の使い方は人それぞれ、自由ですからね。もうひとつの特徴が、週間ページを月単位で分けていないところ。月の終わりと始まりがシームレスに続き、日々の連続を実感できるデザインになっています。

ハ 珍しいですね。

た 月や週の単位って、わかりやすいように人間が勝手に決めた区切りですよね。でも時間は区切りなく流れていて、日々の連続を私たちは生きている。その感覚を忘れないようにしたいなと。

ウィークリー手帳の多くは、1か月が終わると翌月は新たに左ページから始まるけれど、たかしまさん監修の手帳は月末と月初の日付＆曜日が続いて印刷されている。「1か月という区切りに左右されず、日々を同じトーンで過ごせる」と、たかしまさん。

紙を一枚一枚、天日干しし、古い洋書の味わいを出した『IONIO & ETNA』の手作りノート。
同ショップは現在、店舗はなくイベント出店のみの活動で、ノートは不定期販売となっている。

🐑 イラストレーターの先輩であり、僕の理想の暮らしを実現されているたかしまさんが普段、絵を描く時にどのようなツールを使われているのか、いつも気になっています。

🐄 最近、愛用しているのはアンティークショップ『IONIO & ETNA』（イオニアアンドエトナ）のオリジナルノートです。1冊まるごと作品にしたいなと思って日々、ノートに絵を描いています。

🐑 1冊まるごと作品というのがいいですよね。僕のスケッチジャーナルも同じ感覚です。

🐄 ページがどんどん埋まっていくのが、「作品を育てている」感じがして楽しいですよね。あと、手帳やノートといった身近なツールを使えば、気が向いた時にパラパラとめくって振り返るタイミングを持ちやすい。描いた直後は「微妙だな」と思った絵でも、数日後に見返すと「なんだか好きだな」と思えたりするから面白いです。

🐑 見るタイミングによって印象は変わりますよね。だからこそ、とにかく最後まで描き切って作品を仕上げることを僕も重要視しています。

A 『2021 たかしまてつをのうし手帖』（エムディエヌコーポレーション刊）他、たかしまさんがプロデュースした歴代手帳たち。**B** 『IONIO & ETNA』のノートの表紙。

「グラフィット」は、東京・銀座の文具店『五十音』が企画開発した専用ケースに入れて、普段から持ち歩いている。主線を描くのはコピックの「マルチライナー」、着彩はぺんてるの「マルチ8」を使用。

🔵 そうですね。途中で止めちゃうなんて、もったいない。

🔵 他にも普段使いの道具はありますか?

🔵 いつも持ち歩いているのは、クレールフォンティーヌのクロッキー帳「グラフィット」ですね。

🔵 描かれているのは暮らしの中にある何気ないモチーフだけど、たかしまさんの視点が興味深いです。

🔵 毎日、目にしているものでも、描いてみると新たな発見ってありますよね。

普段の目と、描く時の目は異なる。時間とともに一瞬で通り過ぎてしまうモノやコトを、時間を掛けて見続けるからなんでしょうね。そうやって記録することは、自分の暮らしを新鮮に見つめ直す機会にもなるように思います。だからこそ、忙しい中でも、そういう一時を日常に持ちたいと思いながらクロッキー帳を携帯しています。

🔵 僕も日々、描くことによって自分の暮らしを客観的に見られるので、とても共感できます。

🅰 「グラフィット」に描いた作品は額縁に入れて飾ることも。
🅱 ちょっと散歩に出掛ける時も、クロッキー帳とペンは必ず携帯。

創作のヒントまとめ

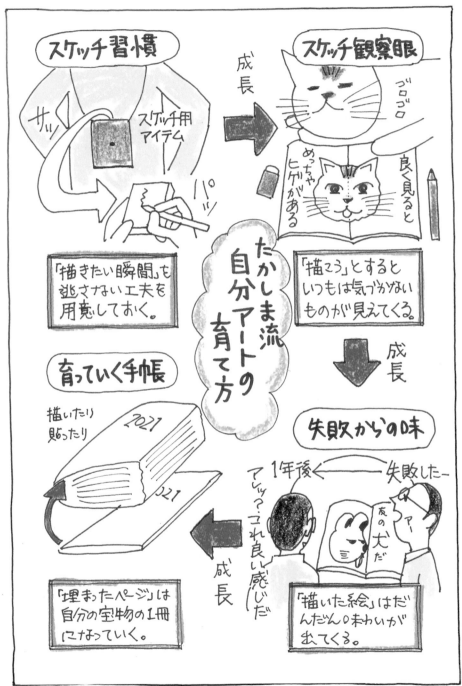

土橋 正 さん
（つちはし ただし）

ステーショナリーディレクター。文具の国際見本市主催会社を経て、土橋正事務所設立。文具の商品プロデュースを行っている。文具ウェブマガジン「pen-info」では、文具コラムを発信している。『暮らしの文房具』（玄光社刊）など著書多数。

＝ハヤテノコウジ、＝土橋 正さん

 僕は土橋さんから、文具との向き合い方を教えていただきました。特に「文具を自分流に使いこなす」という点で、スケッチジャーナルの制作に活かすことができています。

 それは嬉しいですね。

 ノートを拝見しても、スタイルが確立されていてすごいなと思います。

 普段使っているのが横型のノートなので、ページをめくった時にアクセスしやすい右上に日付とタイトルを書いていますね。目に入りやすい中央にテーマを書くのも、ほとんどのページに共通しています。

 初めから、その使い方をされていたんですか?

 最初は「正しい」とされるスタンダードな使い方をしていましたね。なんとなくページの左上にタイトルを書いたりして。でも、自分が我慢して無理やり枠に収まっている窮屈さ、不自由さをどこかで感じていました。

 ちゃんと書こうとすると疲れますよね。

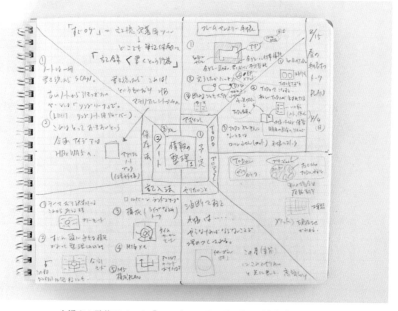

土橋さん監修のノート「ロルバーン ランドスケープ」（デルフォニックス）。トークイベントやプレゼン時はノートを見ながら行うという土橋さん。タイムスケジュールを兼ねた台本になっていて、時計のイメージで0時の地点からスタートする。

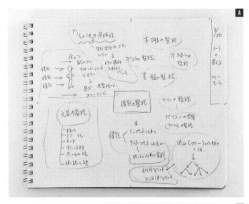

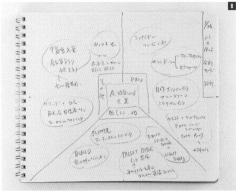

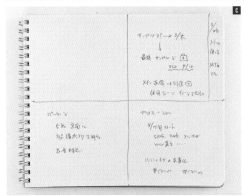

🅐 中央にテーマ、そのまわりにアイデアを書き出す。自分の中にあるものをいったん出すと、その情報に関して敏感になりアイデアが浮かびやすい。🅑 テーマのまわりにサブカテゴリーを3つ書き、それぞれの空間にアイデアを分けていく。最初は雲をつかむようなテーマでも、この情報整理によって徐々にアイデアがまとまっていく。🅒 ミーティングでメモする時はページを4分割し、時計回りで右上から、例えばスケジュール、その他の話題、メインテーマ、今後のタスクといった具合に記入。スペースに限りがあると、ポイントだけ書こうという意識が働く。

➕ そうですね、値段が高いノートほどなるべく丁寧に、無駄なことは書かないようにして……文具に気を遣いながら「使わせていただいている」ような感じ。結果、高いノートは尻込みして使わないまま残し、比較的リーズナブルなノートばかり使っている。これでは一体、何のために買ったのかと。

⌃ 今のような使い方になったのは、何かきっかけがあったんですか?

➕ 民族学者の梅棹忠夫さんが書かれた『知的生産の技術』（岩波書店刊）の中で、「紙の節約をあきらめたとたんに、わたしのノートはたいへんよくなった」、つまりもったいないと思わないという話があり、それが腑に落ちたことですね。それからは文具への向き合い方が変わり、値段に左右されず使うようになりました。

⌃ 僕も「値段の高いノートほど練習に使ってみよう」と提案しています。

➕ 「いつもの自分の字を、どんな紙にも書いていく」ことが理想ですね。文具が持つ価値に合わせるのではなく、主体はあくまで自分。文具は手段であり、自分に従ってもらうという主従の関係だと考えると、使い方が自由になりました。

「ロルバーン ランドスケープ」はシリーズ初の横型ノート。「考えたり、思考を整理する時は横型のほうが合っている」と、土橋さん。

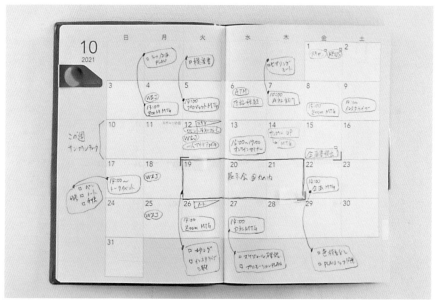

土橋さん監修の「フレームマンスリー手帳」（ダイゴー）。マンスリーページの日付欄は白く、それ以外はグレーになっているので1か月のボリュームがわかりやすいデザイン。

気が付いたら誰かとの約束事ばっかり。自分のための時間も同じバランスで持たないと、まわりに流されてしまう。だから、「予定がないという予定」を作って自分時間を保つためにスケジュールを管理してほしいです。

🔺 それを叶えてくれる文具は、僕たちの強い味方ですね。

🟤 先に自分がやりたいことを手帳に書くのもいいですね。思うだけではなく書き出すと、可視化できて実現することが多いように感じます。

🔺 僕もそんな"土橋イズム"を注入しながら日々、創作に取り組んでいます。土橋さんは文具のプロデュースもされていますよね。

🟤 はい。それも「主体である自分のスケジュール管理に役立つ文具」を追求して監修してます。

🔺 僕の講座でも日々記録することを推奨していますが、「時間が取れない」という人も多いので、時間管理できる文具は助かります。

🟤 昔は「アポイントが埋まっている＝仕事ができる人」だと思っていました。でも、そうやってどんどん埋めると、

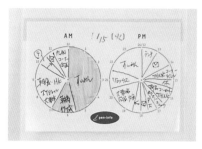

こちらも土橋さん監修の「時計式 ToDo 管理ふせん」。午前と午後で分かれている。

創作のヒントまとめ

森井ユカ さん
もり い

デザイナー、立体造形作家。代表著作に「スーパーマーケットマニア」シリーズ（講談社刊）、プロダクトデザインに『ネコカップ』『コネコカップ』（アッシュコンセプト製造・販売）等。桑沢デザイン研究所非常勤講師、自由大学講師を務める。

🔵=ハヤテノコウジ、🟢=森井ユカさん

🔵 森井さんはお仕事で取材ノートを使われていますよね。

🟢 はい。いつもA6サイズのリングノートを使っています。気になったものはすぐに、立ったままメモすることが多いのでこのサイズ感がちょうど良く、360度開くので便利です。

🔵 その場で書かれたのに、読みやすいですよね。

🟢 万一、自分の身に何かあった時、事務所のスタッフが見てわかる程度にはしていますが、きれいに描こうとは思っていないです。それよりも気になったら

道中でも電車の中でも、とにかくメモする。見た目の美しさにこだわっている間に時間が経って、目にしたものや感じたことを忘れてしまいますから。取材ノートだけでなく、スケッチもそうですね。

🔵 僕は独学ですが唯一、森井さんのスケッチ講座だけは通いました。上手に、丁寧に描くのではなく「何を描いたのかが見た人に伝わる」ことを重視したレッスンで、僕の創作活動にとても役立ちました。

🟢 「見た人に伝わる絵＝上手な絵」では

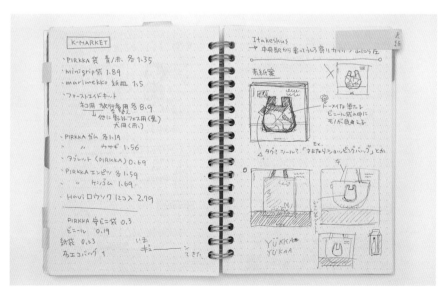

ヘルシンキの取材旅行中、著書の表紙デザインを思い付いてスケッチしたそう。僕の愛読書でもある『スーパーマーケットマニア 北欧5ヵ国編』（森井ユカ著、講談社刊）の表紙だ。筆記には、フリクションの3色ボールペンを使っている。

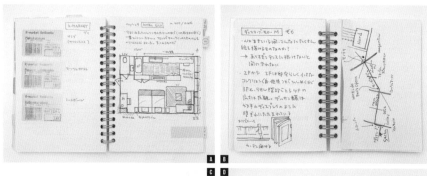

A B 間取り図や地図はよく描くという森井さん。**C** 海外の食品ラベルは必ずノートに貼るそう。**D** シンガポールの街を散策中、遭遇したお葬式の様子を描いたもの。写真を撮りづらいものはスケッチで残す。

ありませんからね。加えて、ハヤテノさんの絵には力強さを感じます。迷いがなく、説得力がある。見る人に、ものすごくインパクトを与えます。

ありがとうございます。僕のスケッチジャーナルでは描く人も見る人も自分自身だから、スケッチ初心者でも気軽に取り組んでもらえるのではないかと思います。

取材ノートに書いたことも基本的に見るのは自分ですからね。ちょっとしたメモや小ネタが後々、生きてくることが多いので、とにかくペンを走らせます。

でも、最近は（コロナ禍における移動制限によって）海外への取材には行けませんよね。

そうなんですよ……。海外がロックダウンしたとたん、仕事がすべてストップして八方ふさがりの状態になりましたね。そんな中、知り合いの編集者が

勤めていた会社を辞めて、新しい出版社を立ち上げたというので「コロナ禍の中、仕事は大丈夫ですか？」と聞いたら、「大丈夫、だって仕事は自分で作るから」とおっしゃって。その時、ハッとしましたね。今まで自分のやってきたことは、すべてメーカーや販売元のあるクライアント仕事で、好きな

「取材ノートは旅の思い出が詰まっているので捨てられませんね」と森井さん。30冊以上、溜まっている。

225

『ネコキット/NEKOKIT』で作った完成例。同じ型でも作る人が違えば、いろいろな猫ができあがる。この商品には「入院中の方が病院のベッドでも楽しめるものを」という森井さんの思いも詰まっている。

ようにやってきたつもりだけど他社さんのフィールドの中だったんだなって。

🐱 僕は仕事とイラストレーター業の両立を模索し続けてきたので、森井さんのようにライフワークと仕事が一致するのがすごいなと思っていました。「好きなことを追求する天才」の森井さんだからこそ、できるんだろうなと。でも、コロナ禍で僕たちの働き方やライフスタイルは大きく変わりましたよね。

🐱 だから、今は「自分でも商品を作ってみよう」と色々と開発中です。

🐱 森井さんの新たなステージ、楽しみです。この猫の型紙、可愛いですね。

🐱 小麦粘土を型に乗せて、猫を造形できるキットです。小麦粘土は繰り返し使えるので、写真に撮って残せば、また新しい猫を作っていくらでも増殖できるという。

🐱 僕も型を使ってフレームを描きますが、立体物でも型が使えるとは……。

🐱 「粘土で作品を作る」ことは、実は「スケッチを描く」よりもダイレクトに表現でき、アウトプットしやすいと思います。粘土を成形して土器を作る等、人間が原始時代から行っている営みですからね。

🐱 たしかに。でも、スケッチを描くのも粘土で作るのも、手を使って創作するというアナログの良さは共通ですね。

森井さんが企画開発した『ネコキット/NEKOKIT』。猫の形をした「乗せ型」に小麦粘土を乗せるという画期的な商品だ。

創作のヒントまとめ

ハヤテノ愛用文具＆画材

筆記具

ジェットストリーム エッジ
[三菱鉛筆]
世界最小ボール（2019年8月時点／三菱鉛筆調べ）の径0.28mmを実現した超極細の油性ボールペン。スケッチジャーナルでは細かい文字の記述に必須。

ジェットストリーム スタンダード
0.5mm 黒（左）、0.7mm 黒（右）[三菱鉛筆]
低い筆記抵抗を実現したインクで、摩擦が少なく滑らかな書き味。アイデアやメモを思い付くまま書きなぐる時に利用する。

つくしペンケース
[つくし文具店]
ノートのように開いて中身を一覧できる。旅のスケッチ道具一式をセットして、持ち歩き用に使用。

フリクションボールノック
0.5mm ブルーブラック[パイロット]
ボールペンに付いている専用ラバーでこするとインクが消せる。薄い紙のノートや手帳でも裏写りなく描けるのでありがたい。

ぺんてる筆
中字（左）、顔料インキ 極細（右）
[ぺんてる]
毛筆タイプのペンで書けば際立ち、紙面にメリハリが付く。高品質のナイロン毛を一本一本細く処理し、なめらかな書き心地を実現。

ツールボックス
[ポスタルコ]
牛革でコットンの生地を包み込んだ、おしゃれなデザイン。使い込むほどやわらかくなって手になじむ。

カラー筆ペン 筆まかせ
細字 ブラック[パイロット]
細字ながらもトメ、ハネ、ハライが表現できる独自設計。筆ペンだが、サインペン感覚で初心者でも気軽に書ける。

オレンズネロ
芯径0.2[ぺんてる]
樹脂素材を用い、0.2mmの超極細でも折れにくい芯が特徴。書き心地が良く、ずっと書いていたくなるシャープペンシル。

ステッドラー製図用シャープペンシル
[ステッドラー]
グリップ部のすべり止め加工や、低重心で安定した書き心地のシャープペンシル。長時間使っても疲れず、イラストの下絵や文字の下書きに使っている。

極細毛筆「彩」ThinLINE
青墨（左）、墨色（右）
[あかしや]
弾力に富んだ特殊繊維を使い、穂が2mm径という極細の毛筆ペン。スケッチジャーナルの見出しを書く時に使うと目立つ。

SUITO（スイト）クリーニングペーパー
[神戸派計画]
吸取紙を使用した、万年筆のペン先専用のクリーニング紙製品。ペン先の形にフィットする形状になっている。

ピットアーティストペン
[ファーバーカステル]

酸性成分が入っていないアシッドフリーの水性顔料インク。にじみにくく裏写りしないので、水彩色鉛筆と一緒に使える。

コピックマルチライナー
[トゥーマーカープロダクツ]

人気のアルコールマーカー「コピック」がにじまない、専用ドローイングペン。耐水・耐アルコールの水性顔料インクが採用されている。

ピグメントライナー
[ステッドラー]

乾いた後、色鉛筆等と併用できる、耐水性・耐光性の水性顔料系インクを採用したドローイングペン。

サインペン
赤(左)、黒(右)
[ぺんてる]

世界中で愛用されているロングセラー製品。赤は、文字の赤入れやメッセージを強調したい時に使っている。

水性
ドローイングペン
[パイロット]

顔料インクを使った、製図・デザイン・証券用のペン。文字も書きやすく、極細ペンとして手帳やノートにも使える。

ブロッキー
細字丸芯+太字角芯 黒(上)
極細+細字丸芯 黒(下)
[三菱鉛筆]

耐水性で紙・金属・ガラス・プラスチック等に書ける。簡単なイラストや図解、アイデア整理する時に大活躍。

インク試筆カード[スタンダード]
[リモネールド]

万年筆インクをコレクションできる名刺サイズのカード(上質紙)。スペースが分かれ、塗ったり文字や線を描いたりできる。

GRAPHILO(グラフィーロ)
style 方眼
[神戸派計画]

紙の風合いを残しつつ、引っ掛かりのない「ぬらぬら」とした書き心地。万年筆でのスケッチジャーナルにおすすめ。

GRAPHILO(グラフィーロ)
メモブロック
[神戸派計画]

万年筆用ペーパー100枚が綴られた天のり加工のメモブロック。この紙に万年筆で描いて、手帳やノートに貼ると裏写りの心配なし。

ラミー ロゴ ステンレス
ヘアライン 万年筆
[ラミー]

円筒型のボディとクリップ、ミニマルなデザインが特徴。これで、今まで訪れた北欧都市の風景をたくさんスケッチした。

クラシックM205
デモンストレーター
[ペリカン]

ピストン吸入機構でインクを吸い上げるタイプの万年筆。クリアのボディで、内部が見えるのがおしゃれ。

ラミー アルスター
トルマリン 万年筆
[ラミー]

アルミのボディと、スチール製のペン先を持つ人気モデル。細かい描写の万年筆スケッチを描く時に重宝する。

カラー筆記具＆画材

クーピーペンシル
[サクラクレパス]

クレヨンのように発色が良く、色鉛筆のように滑らかな描きやすさ。特に、面積が広い部分を塗る時には必須のアイテム。

ルナ 水彩色鉛筆
[ステッドラー]

短いので、持ち運んで外でスケッチするのに便利。これで色を塗った後に水筆でなぞると水彩画になる。

スタビロ グリーンカラー
[スタビロ]

ペン軸から芯まで完全に自然に還せる、エコな色鉛筆。芯がやわらかく、発色がいい。

ロールケース入り 色鉛筆NQ
[トンボ鉛筆]

発色が鮮やかで、滑らかなタッチの色鉛筆24色セット。持ち運べるので、ケースを広げてみんなでワイワイ使うのが楽しい。

スタビロ ウッディ3−in−1
[スタビロ]

色鉛筆とクレヨンの機能を併せ持ち、水を付ければ水彩画まで描ける。キッズ用商品だけど、大人の創作活動にも活躍。

スプラカラーソフト
[カランダッシュ]

水で溶かすと水彩絵の具のようになり、ボカシやグラデーション等、さまざまな技法を駆使できる着彩アイテム。

ネオカラーI
[カランダッシュ]

顔料＆ワックスが原料のワックスオイルパステル。こする、のばす、ぼかす等のひと手間で幅広い表現ができる。

A.アクリルガッシュ
[ターナー色彩]

鮮やかな発色とツヤ消し、耐水性が特徴。重ね塗りや濃淡によって幅広い表現ができる。

COLOR PENCILS

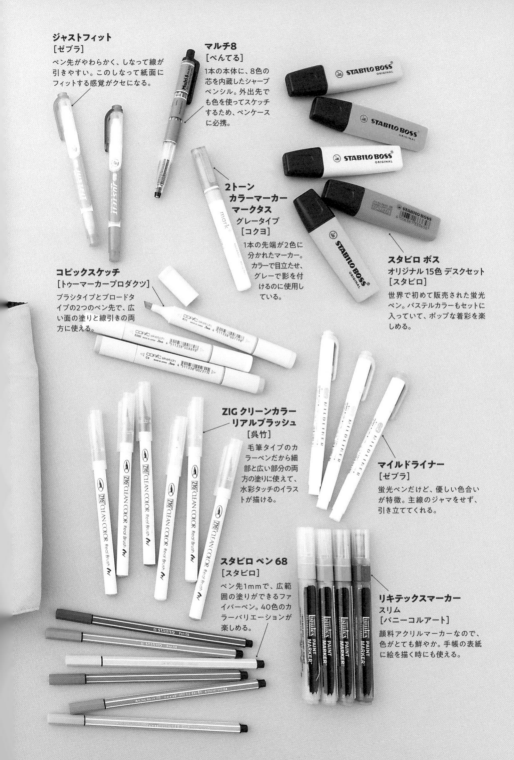

ジャストフィット
[ゼブラ]
ペン先がやわらかく、しなって線が引きやすい。このしなって紙面にフィットする感覚がクセになる。

マルチ8
[ぺんてる]
1本の本体に、8色の芯を内蔵したシャープペンシル。外出先でも色を使ってスケッチするため、ペンケースに必携。

2トーン
カラーマーカー
マークタス
グレータイプ
[コクヨ]
1本の先端が2色に分かれたマーカー。カラーで目立たせ、グレーで影を付けるのに使用している。

スタビロ ボス
オリジナル15色 デスクセット
[スタビロ]
世界で初めて販売された蛍光ペン。パステルカラーもセットに入っていて、ポップな着彩を楽しめる。

コピックスケッチ
[トゥーマーカープロダクツ]
ブラシタイプとブロードタイプの2つのペン先で、広い面の塗りと線引きの両方に使える。

ZIG クリーンカラー
リアルブラッシュ
[呉竹]
毛筆タイプのカラーペンだから細部と広い部分の両方の塗りに使えて、水彩タッチのイラストが描ける。

マイルドライナー
[ゼブラ]
蛍光ペンだけど、優しい色合いが特徴。主線のジャマをせず、引き立ててくれる。

スタビロ ペン68
[スタビロ]
ペン先1mmで、広範囲の塗りができるファイバーペン。40色のカラーバリエーションが楽しめる。

リキテックスマーカー
スリム
[バニーコルアート]
顔料アクリルマーカーなので、色がとても鮮やか。手帳の表紙に絵を描く時にも使える。

ノート

図案スケッチブック B5
図案スケッチパッド ハガキサイズ
[マルマン]

水彩画に適したオリジナル画用紙を綴じている。ハガキサイズは天のりパッド製本で、用紙を1枚ずつ剥がせる。

アート
コレクション
スケッチブック
プレーン ブラック
ポケット（左）
ラージ（右）
[モレスキン]

厚手の上質紙を綴じたノートスタイルのスケッチブック。ノートの雰囲気はそのままに、スケッチを思いきり楽しめる。

849 ノートブック
A6 キャンバス地 グレー
[カランダッシュ]

カランダッシュ製のボールペンをホルダーに差して閉じる、ユニークなデザイン。厚手の紙は、万年筆で描いても裏写りしない。

ロルバーン ポケット付メモL
ダークブルー [デルフォニックス]

立ったままでも書きやすい、厚手の表紙で綴じたリング式ノート。インクがにじみにくい5mm方眼の上質紙が使われている。

ロディア
ホチキス留めノート
A4 方眼
[クオバディス・ジャパン]

ホチキス留めで薄くてかさばらず、持ち歩きに最適。オレンジのカバーは独自の撥水加工が施されている。

クラシックノートブック
ラージ プレーン
ホワイト [モレスキン]

ゴムバンド付きで、丈夫なハードカバーノート。ポケットが付いているので紙素材を収納できる。

ブロックロディア
No.11
[クオバディス・ジャパン]

5mm方眼の紙を使った、コンパクトなブロックメモ。ポケットに入れ、外出先で気になる情報をメモするのに使用。

カイエジャーナル
ポケット [モレスキン]

持ち運びに便利な、薄くて軽いタイプのモレスキン。横罫・方眼・無地の3タイプあり、各3冊セットで販売されている。

測量野帳
[コクヨ]

屋外で立ったまま筆記する目的で作られ、頑丈な表紙になっている。取材ノートからスケッチまで幅広く活躍。

植林木ペーパー
裏うつりしにくいノート
5冊組 B5・30枚・6mm横罫
背クロス5色 [無印良品]

アイデア出しやネタの整理に欠かせない。開きも良く、軽いので各所に持ち歩いている。

丈夫で破れにくいフィルムふせん。後でよく見返したいページにインデックスを付けている。

ロイヒトトゥルム ノート
ミディアム A5 ドット
ノルディックブルー（上）
ポケット A6 横罫
エメラルド（下）
[ロイヒトトゥルム]

シンプル＆上品で、高級感あふれるカバー。目次ページがあり、ページ番号が印刷されているので趣味ノートにぴったり。

EDiT 方眼ノート
A6正寸 ターコイズブルー
[マークス]

カバーは、イタリア製のポリウレタン素材を使用。上品な佇まいで、おしゃれなスケッチジャーナルができあがる。

トラベラーズノート リフィル
[トラベラーズカンパニー]

トラベラーズノートにセットするリフィルの紙は、さまざまな種類がある。僕が使っているのは無罫、クラフト紙、軽量紙、画用紙だ。

MDノート ライト
文庫 3冊組 [ミドリ]

万年筆から鉛筆まで、筆記に適したオリジナル用紙の薄型ノート。横罫・方眼罫・無罫がそれぞれ3冊セットで購入できる。

トラベラーズノート リフィル
パスポートサイズ
[トラベラーズカンパニー]

トラベラーズノート
レギュラーサイズ
[トラベラーズカンパニー]

手に持ちやすく、書き込むスペースが多いA5スリムサイズ。牛革素材のカバーと、オリジナル用紙のノートがセットになっている。

パスポートと同じ大きさで、ページも少なくコンパクト。スケッチジャーナル初心者にはちょうどいいサイズ感。

SKETCH BOOK

003 TRAVELER'S notebook
無罫 Blank
A4 pages
MD Paper White
TRAVELER'S COMPANY

クラフト紙
Kraft Paper
Black
64 pages
TRAVELER'S COMPANY

PASSPORT SIZE
008 TRAVELER'S notebook
画用紙
Sketch Paper
Black
32 pages
TRAVELER'S COMPANY

MD PAPER

※表紙のデコレーションは著者によるもの（商品は無地）

手帳

EDiT
1日1ページ手帳
B6変型
ペールアイリス
[マークス]

1日1ページ分、書き込む
スペースのある手帳。
すっきりした紙面デザイ
ンで、さらっとスケッチ
を描きたくなる。

12カ月
マンスリーダイアリー
ラージ ブラック
[モレスキン]

日付が目立ち過ぎない
デザインなので、マンス
リージャーナル作成に
ぴったり。クラシックな
黒のカバーも気に入っ
ている。

マイブック [新潮文庫]
奥付や扉ページ等は新潮文庫の
フォーマットだけど、中身は1年分の
日付のみ印刷されたフリーページ。

EDiT 1日1ページ手帳
A6正寸 ブラック[マークス]

手の平に収まる文庫本サイズなの
で、ページを埋めていくと、1冊の
本になるような楽しさがある。

デイリーダイアリー
ポケット レッド[モレスキン]

コンパクトなサイズの1日1ページ手帳。
各ページに、8時から20時までの時間
軸が印刷されているのが特徴。

上質紙
フリースケジュール
ノート
A5・15カ月・65週間
[無印良品]

日付が入っていないフ
リータイプのスケジュー
ル帳。フラットに開くの
で、絵を描き込むのに
使いやすい。

ストレージ ドット イット
ウィークリーレフト
B6変型[マークス]

左側に週間スケジュー
ル、右側にノートペー
ジで構成された手帳。
週間ページに三行日記
（20ページ参照）、右
側に補足情報を書いて
いる。

コラージュツール

かどまるPRO
[サンスター文具]

3mm、5mm、8mm
の3種類のいずれか
に丸く切れるコー
ナーカッター。

DECOP
エンボッシングパンチ スタンプ
[ペーパーインテリジェンス]

紙を挟み、切手風に型抜き
しながらエンボス加工がで
きる。本体もビビッドな赤
色で可愛い。

かどまる3
[サンスター文具]

写真やカード等の角を丸く
カットできる。操作は簡単
で、丸くしたい角を差し込
んでレバーを押すだけ。

ナミッコII
[長谷川刃物]

日本のギザギザハサミの
元祖。ステンレスの刃のお
かげで、厚めの紙でもカッ
トできる。

コンパスカッター
[オルファ]

コンパスを使う要領
で、薄い紙を円形に
カットできる。ネジを
ゆるめて、ぐるりとス
ライドさせよう。

キリヌーク
[オルファ]

力加減に関係なく、
1枚切りができるカッ
ター。パンフレット
や雑誌の切り抜きを
ノートに貼りたい時
に大活躍。

フィットカットカーブ
万能はさみ
ネイビー[プラス]

常に約30度をキープする
刃のおかげで、厚いもの
も薄いものも軽く切れる。
持ち手の内側(ギザギザの部
分)に、ねじ開け機能付き。

STÁLOGY
書けるふせん
3色[ニトムズ]

特殊加工され、ペンでも書きや
すいフィルム素材のふせん。発
色が良く、美しい3色セット。

テープのり ドットライナー
[コクヨ]

テープがドット柄だから紙がうね
らず貼れる。ノートや手帳に紙
素材を貼る時、欠かせない。

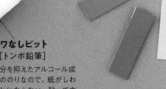

シワなしピット
G[トンボ鉛筆]

水分を抑えたアルコール成
分ののりなので、紙がしわ
しわにならない。貼ってす
ぐなら貼り直しもできる。

修正ツール

ロルバーン 修正テープ
[デルフォニックス]

ロルバーンのノート独特の紙色に合わせた修正テープ。ノートの5mm方眼の罫線が消えないように、4mmのテープ幅になっている。

おりがみ
150mm角・27色・80枚入り
[無印良品]

80枚入りで90円という安さで、カラーバリエーションも豊富。ミスした箇所の上に貼ってリカバリーするのに重宝する。

ZIG Cartoonist
白筆ぺん
超極細 セリース [呉竹]

細かい点や細い線が表現できる超極細の穂先。水性顔料インクで、イラストのハイライトにも最適。

リキテックスマーカー
スリム 太字
チタニウムホワイト
[バニーコルアート]

発色の良さが際立つアクリルマーカー。乾いた後は耐水性になるので、重ね塗りしてミスをつぶせる。

ペン修正液 はがき用
[ぺんてる]

液の色を郵便はがきに合わせたペンタイプの修正液。真っ白な紙ではないノートや手帳に使える。

ピュアホワイト
[タチカワ]

耐水性で、書き味が滑らかなゲルインクボールペン。鮮やかなので修正にもイラストにも使える。

修正字消しペンスーパー
茶封筒用[セーラー万年筆]

茶封筒用なので、クラフト紙の上に塗っても目立ちにくい。ボールペンタイプだから筆記具感覚で使える。

ユニボール シグノ
太字 1.0mm ホワイト
[三菱鉛筆]

水ににじまず、色あせしにくい水性ゲルインクのペン。黒い紙の上に絵や文字を描くのにも使っている。

マスキングテープ mt
[カモ井加工紙]

柄入りのデザインも可愛いが、無地でシンプルなものは使いやすい。修正や飾り付け、フレーム、貼り付け等に大活躍。

ノック式修正ボールペン パワコレ
[ぺんてる]

内部加圧式で、紙に当てると液が出てくる。0.7mmボールの針状ペン先なので、細部にも使いやすい。

ハヤテノ愛読書

本書で紹介した本

『描き方BOOK! 読みやすい文字と伝わるイラスト』森井ユカ著、KADOKAWA/メディアファクトリー刊

『すばらしき手描きの世界』チョークボーイ著、主婦の友社刊

『永沢まことのとっておきスケッチ上達術』永沢まこと著、草思社刊

『手帳で楽しむスケッチイラスト』MdN編集部編、エムディエヌコーポレーション刊

『千住博の美術の授業 絵を描く悦び』千住 博著、光文社刊

『東京 わざわざ行きたい街の文具屋さん』ハヤテノコウジ著、G.B.刊

『マイブック 2021年の記録』大貫卓也企画・デザイン、新潮文庫刊 ※本書では2019年版を使用

『シンプリシティの法則』ジョン・マエダ著、鬼澤 忍訳、東洋経済新報社刊

『絵はすぐに上手くならない』成冨ミヲリ著、彩流社刊

『さよなら私』みうらじゅん著、KADOKAWA刊

『クリエイターになりたい!』ミータ・ワグナー著、小林玲子訳、柏書房刊

『イラストノート』イラストノート編集部著、誠文堂新光社刊

『パラレルキャリア 新しい働き方を考えるヒント100』ナカムラクニオ著、晶文社刊

『ナウのしくみ〈1〉』泉 麻人著、文藝春秋刊

『大東京23区散歩』泉 麻人著、村松 昭絵、講談社刊

『スーパーマーケットマニア 北欧5ヵ国編』森井ユカ著、講談社刊

『ガケ書房の頃』山下賢二著、三島宏之写真、夏葉社刊

『ホホホ座の反省文』山下賢二・松本伸哉著、ミシマ社刊

その他の愛読書

『モレスキン 人生を入れる61の使い方』堀 正岳・中牟田洋子・高谷宏記著、ダイヤモンド社刊

『ランゲルハンス島の午後』村上春樹著、安西水丸絵、新潮社刊

『東京美女散歩』安西水丸著、講談社刊

『ほぼ日手帳公式ガイドブック2021』ほぼ日刊イトイ新聞著・編、マガジンハウス刊

『地獄の楽しみ方 17歳の特別教室』京極夏彦著、講談社刊

『ジブン手帳ガイドブック2021』佐久間英彰著、実務教育出版刊

『デザイン入門教室 [特別講義] 確かな力を身に付けられる 学び、考え、作る授業』
坂本伸二著、SBクリエイティブ刊

『アニメ私塾流 最速でなんでも描けるようになるキャラ作画の技術』室井康雄著、エクスナレッジ刊

『あるあるデザイン 言葉で覚えて誰でもできるレイアウトフレーズ集』
ingectar-e著、エムディエヌコーポレーション刊

『花鳥風月の科学』松岡正剛著、中央公論新社

『7日間でマスターする 配色基礎講座』内田広由紀著、視覚デザイン研究所刊

『っぽくなるデザイン 誰でもできるかっこいいレイアウト集』
ingectar-e著、エムディエヌコーポレーション刊

『Visual Grammar デザインの文法』Christian Leborg著、大塚典子訳、ビー・エヌ・エヌ新社刊

『言葉を離れる』横尾忠則著、青土社刊

おわりに

　毎日は、決して良いことばかりじゃない。

　そんななかで、無理にポジティブになる必要はないし、僕自身もどちらと言うとネガティブ人間だ。でも、イヤなことで心を乱されたくはないし、なるべくニュートラルに生きたいと願っている。誰だって、そうではないだろうか。

　だからこそ、僕はスケッチジャーナルを作っている。

　今日、起きた出来事を振り返り、少しでもプラスに解釈できないかを探ってみる。どうしてもネガティブな感情が抜けない時は、気持ちを無理に押し込めず、とりあえず紙に書き出す。そうすると、少し落ち着いて心も整理できる。不快だったことも、今後、工夫次第で避けられそうなら「もうやらないリスト」に加えて繰り返さなければいい。

　気分を立て直したら、日々のささやかな楽しみを手帳やノートに描いていこう。今日のランチ定食のハンバーグが美味しかった。道端に、きれいな花が一輪咲いていた。そんな些細なことで十分だ。

　1週間、1か月、1年間と描き溜めたら、じっくりと振り返る。過ぎ去った記憶の数々が、自分が描いた文字と絵によって明るい感情とともに再現されるだろう。そして、愛おしいトピックスであふれたページをめくるたび、嬉しくなって思う。「自分の暮らしも、なかなか素敵じゃないか」と。

　他の誰かに「いいね！」と評価してもらうのではない。
　自分で自分の人生を「いいね！」と肯定してあげるのだ。

　ネガティブ人間の僕にとって、スケッチジャーナルは日々、心を整えてニュートラル思考を保つための習慣であり、究極の自己満足ツールである。

The life with Sketch Journal...

著　ハヤテノコウジ

栃木県生まれ。東京在住のアーティスト、イラストレーター、文筆家。独自のスケッチジャーナル手法（人生の日誌づくり）を伝えるワークショップやトークショー、イラスト提供などを中心に、文具・画材のデモンストレーションやディレクションまで多才に活躍中。
著書に『東京 わざわざ行きたい街の文具屋さん』（G.B.）がある。『手帳で楽しむスケッチイラスト』シリーズ（エムディエヌコーポレーション）、『イラストノート』（誠文堂新光社）、『モレスキンのある素敵な毎日』（大和書房）、『ゼブラ完全ガイドブック』（実務教育出版）などにも取材協力。

公式サイト：https://www.koujihayateno.com

STAFF

AD	山口喜秀（Q.design）
本文デザイン (p2-17, p29-31, p79-81, p137-139)	中村 健（MO' BETTER DESIGN）
カバーデザイン	酒井由加里（Q.design）
DTP	佐藤世志子
撮影	宗野 歩
校正	東京出版サービスセンター
用紙	紙子健太郎（竹尾）
営業	峯尾良久、長谷川みを（G.B.）
企画・構成・編集	山田容子（G.B.）

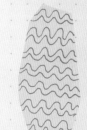

スケッチジャーナル
自分の暮らしに「いいね！」する創作ノート

初版発行	2021 年 6 月 28 日
第4刷発行	2024 年 6 月 28 日

著者	ハヤテノコウジ
編集発行人	坂尾昌昭
発行所	株式会社 G.B. 〒 102-0072 東京都千代田区飯田橋 4-1-5
電話	03-3221-8013（営業・編集）
FAX	03-3221-8814（ご注文）
URL	https://www.gbnet.co.jp
印刷所	株式会社シナノパブリッシングプレス